9788571101141
CB142817

TELEVISÃO & VÍDEO

BRASIL OS ANOS DE AUTORITARISMO
análise · balanço · perspectivas

Consultores: EDSON DE OLIVEIRA NUNES, *cientista social (Iuperj)*
LINCOLN PENNA, *professor de história (UFRJ)*
MATINAS SUZUKI, *jornalista (Folha de S. Paulo)*

Coordenadora editorial: ANA CRISTINA ZAHAR

Os Despossuídos: Crescimento e Pobreza no País do Milagre, *Sérgio Abranches*
Televisão & Vídeo, *Fernando Barbosa Lima, Gabriel Priolli e Arlindo Machado*
A Militarização da Sociedade, *Clóvis Brigagão*
A Igreja e o Autoritarismo, *Marcos de Castro* (Prefácio de Frei Betto)
A Desordem Jurídica, *Marcelo Cerqueira e Roberto Amaral*
As Artes Plásticas, *Wilson Coutinho*
O Golpe na Educação, *Luiz Antônio Cunha e Moacyr de Góes*
Nova República?, *Florestan Fernandes*
O Brasil no Mundo, *Paulo Francis*
A Imprensa nos Anos de Autoritarismo, *Jânio de Freitas (organizador)*
A Política Científica e Tecnológica, *E. A. Guimarães, F. Erber e J. Tavares*
Sociedade e Política, *Helio Jaguaribe*
O Teatro sob Pressão: Uma Frente de Resistência, *Yan Michalski*
A Reconquista da Terra, *Carlos Minc*
Justiça e Autoritarismo, *F. A. de Miranda Rosa*
A Ciência na Universidade Brasileira, *Cláudio Moura Castro*
A Política Nuclear e o Caminho das Armas Atômicas, *Luiz Pinguelli Rosa*
Economia: Milagre e Anti-Milagre, *Ignacio Rangel*
20 Anos de BNH, *Jó Rezende, João Ricardo Serran e Fernando Burmeister*
Burguesia Nacional e Capital Estrangeiro, *Karlos Rischbieter (org.)*
O Humor, *Cora Rónai entrevista Millor Fernandes*
O Esporte & O Carnaval, *João Saldanha e Roberto Moura*
A Questão Urbana, *Benício Schmidt e Ricardo Farret*
A Manipulação de Dados, *Antonio Maria da Silveira*
A Distribuição de Renda, *Paul Singer*
Literatura e Vida Literária, *Flora Sussekind*
A Música, *Matinas Suzuki (organizador)*
O Grande Salto para o Caos, *Maria da Conceição Tavares e J. Carlos de Assis*
A Deformação da História em um Regime Autoritário, *J. L. Werneck da Silva*
O Cinema, *Ismail Xaviel, Jean-Claude Bernadet e Miguel Pereira*

Fernando Barbosa Lima
Gabriel Priolli
Arlindo Machado

Televisão & Vídeo

Jorge Zahar Editor
Rio de Janeiro

Copyright © 1985, Fernando Barbosa Lima, Gabriel Priolli e
Arlindo Machado

Todos os direitos reservados.
A reprodução não-autorizada
desta publicação, no todo ou em parte,
constitui violação do copyright. (Lei 5.988)

1985
Direitos para esta edição contratados com
Jorge Zahar Editor Ltda.
rua México 31 sobreloja
20031 Rio de Janeiro, RJ

Produção *Consultor editorial:* Matinas Suzuki; *Revisão:* Marcos de Castro (copy); Robson Ramos, Lúcia Mousinho, Renato Carvalho (tip.); *Projeto e produção gráfica:* Ana Cristina Zahar; *Arte-final:* T. Fernandes (capa); José Geraldo de Lacerda (texto); *Composição:* ALcomp Ltda.; *Impressão:* Ioneli Indústrias Gráficas Ltda.

CIP-Brasil. Catalogação-na-fonte
Sindicato Nacional dos Editores de Livros, RJ

Lima, Fernando Barbosa.
L698t Televisão e vídeo / Fernando Barbosa Lima, Gabriel Priolli, Arlindo Machado. – Rio de Janeiro : Jorge Zahar Ed., 1985.

(Brasil : os anos de autoritarismo)
Bibliografia.

1. Jornalismo e política – Brasil, 1964-1984 2. Telejornalismo – Brasil, 1964-1984 3. Televisão – Interferência – Brasil, 1964-1984 I. Priolli, Gabriel II. Machado, Arlindo III. Título IV. Série

CDD – 079.8106
384.55098106

85-0699

ISBN: 85-85061-26-X

Sumário

Bob McJack em "Crig Ral". O avanço da produção independente.

FERNANDO BARBOSA LIMA

Nossas Câmeras São os Seus Olhos

Dia 1º de abril de 1964.
Cinelândia. Em frente ao Clube Militar, um garoto de 12 anos começa a gritar: "Jango... Jango..."
Um homem alto e magro, cabelo cortado rente, bigodes finos, aponta sua automática e explode a cabeça do menino.
Nesse dia eu era diretor de jornalismo da Rede Excelsior de Televisão, na época, líder absoluta de audiência.

Nessa mesma noite de 1º de abril, no "Jornal de Vanguarda", a cena do assassinato foi para o ar.

Momentos depois chegava o censor: um capitão constrangido que olhava para todos os jornalistas como se fossem comunistas que comiam o fígado das crianças.

Era a primeira vez, na minha vida, que eu via um censor. Depois, teria a oportunidade de conhecer muitos outros.

A Rede Excelsior tinha sido inaugurada em 1962. No primeiro ano já era líder de audiência em quase todo o Brasil. Nela trabalhavam pessoas como: Chico Anísio, Chacrinha, Jô Soares, Agildo Ribeiro, Bibi Ferreira, Francisco Cuoco, Tarcísio Meira, Glória Meneses, Avancini, Regina Duarte, Derci Gonçalves, Daniel Filho, Mílton Gonçalves, etc... Os mesmos campeões de audiência de hoje.

Dirigindo o telejornalismo da Excelsior, num momento de grandes transformações na vida brasileira, tive a oportunidade de criar um novo estilo de telejornal.

O "Jornal de Vanguarda" rompia as velhas tradições da televisão.

Até 1962 os telejornais eram apresentados por locutores e redigidos por um pequeno grupo de cinco ou seis pessoas. Gente que vinha do rádio.

Visualmente, todos os telejornais eram parecidos: uma cortina de fundo, uma mesa e a cartela com o nome do patrocinador. O mais famoso de todos era o "Repórter Esso", da Rede Tupi.

O "Jornal de Vanguarda" mudou esse esquema ou tendência.

Em primeiro lugar, era um telejornal feito e apresentado por jornalistas. Era a primeira vez que os jornalistas deixavam a redação de seus jornais para entrar num estúdio de telejornal.

O "Jornal de Vanguarda" teve a oportunidade de reunir gente da melhor qualidade: Newton Carlos, Vilas Boas Correia, Tarcísio Holanda, Millôr Fernandes, Sérgio Porto, Borjalo, Gilda Müller, João Saldanha, Darwin Brandão, Hélio Polito e outros.

Toda essa gente "ao vivo" no estúdio era ligada através de notícias rápidas que chegavam na voz de Luís Jatobá, Cid Moreira, do "sombrinha" Célio Moreira, das caricaturas do Appe, dos bonequinhos falantes – tudo dentro de um visual extremamente gráfico e dinâmico. Era um verdadeiro *show* de notícias, de liberdade e dignidade profissional.

Na verdade, quando você dá a um bom profissional a oportunidade de fazer aquilo que ele gosta de fazer, você pode ter certeza de que ele fará o melhor de tudo.

Essa era a força do "Jornal de Vanguarda". Um jornalismo sempre criativo, original, informativo, forte e atuante. Um jornalismo participante. O "Jornal de Vanguarda" representava uma estrutura tão diferente dos outros telejornais que chegou a fazer parte das aulas de comunicação do professor Marshall McLuhan e ganhou, na Espanha, o título de "o melhor telejornal do mundo".

Nesse tempo, além da Rede Excelsior, o jornalismo de televisão começava a ter novas dimensões. Todas as emissoras começaram a compreender que o importante era ter bons jornalistas em seus estúdios. Cada estação de TV procurou criar suas próprias formas, encontrar seu próprio estilo, sem copiar os telejornais americanos.

Mesmo sem ter a tecnologia eletrônica de hoje, o jornalismo da nossa televisão entrava numa fase de grande criatividade e expansão intelectual.

Nesse exato momento chega o golpe de 64.

Na Cinelândia o homem dispara a automática e explode a cabeça do menino. O homem dá o primeiro tiro na alma do nosso telejornalismo. Mesmo com a ditadura o "Jornal de Vanguarda" continuou se debatendo e lutando pela liberdade de chegar ao limite máximo da notícia.

Tivemos de sair da Excelsior – que na então Guanabara passava para o controle do governo do Estado – e fomos para a Tupi. Depois, fomos para a Globo que estava entrando no ar. Voltamos para a Excelsior. Fugimos para a agonizante Continental. Fomos para a TV Rio.

Veio o Ato Institucional nº 5. Era simplesmente o fim.

A equipe do "Jornal de Vanguarda" se reuniu e resolvemos tirar o programa do ar.

Estávamos certos. Com o Ato Institucional nº 5 o "Jornal de Vanguarda" iria morrer um pouco a cada dia numa torturante agonia. Um cavalo de raça a gente mata com um tiro na cabeça. Hemingway tem uma frase que diz: "Um homem não pode ser vencido. Às vezes, ele é destruído."

Ne verdade, depois do 31 de março de 64 o jornalismo já não podia ser o mesmo. Nem o jornalismo nem a televisão.

Sofremos, sem dúvida, uma grande regressão.

Nas prisões as pessoas eram torturadas. Na televisão se falava no "milagre brasileiro" e aparecia o Médici com um radinho no ouvido escutando futebol e dizendo "Pra frente, Brasil".

Todos nós sabemos que a criatividade precisa caminhar ao lado da liberdade. E o Brasil estava com medo, ficou cinza, ficou triste.

A saída mais digna para os telejornais foi copiar o estilo e a forma dos informativos norte-americanos.

Mesmo assim, copiamos com medo. Nos Estados Unidos o homem que aparece diante da câmera é um jornalista do nível de Walter Conkrite. Aqui, embora a cópia visual seja bastante parecida, o telejornal voltou a ser apresentado por um locutor ou ator – não um jornalista.

Tudo passou a ser previamente gravado em vídeo-tape.

Tivemos, é verdade, o progresso tecnológico. Recebemos modernas câmeras ultraportáteis, os satélites, etc. . . Entretanto, nenhuma notícia verdadeiramente importante era dada.

O espectador, como era natural, mergulhou numa fase extremamente alienada. Foi uma grande regressão.

Os intelectuais, por sua parte, passaram a criticar e a desprezar a TV e vê-la apenas como uma fábrica de novelas e filmes americanos.

Paralelamente, com o 477, nossos estudantes perderam o interesse pela política brasileira. Os operários, com os sindicatos controlados, também foram amordaçados. A classe média, sem perceber que a inflação já estava corroendo o seu dia-a-dia, acreditava no "milagre".

Entretanto, no final do governo Geisel surge um pequeno milagre de verdade. Surge nos corredores palacianos a palavra "abertura".

Voltei para a TV e paguei para ver. Eu e o Carlos Alberto Loflller criamos o programa "Abertura".

O grande significado desse programa foi de mostrar que já era possível fazer uma televisão com relativa liberdade política.

O ministro da Justiça, Petrônio Portela, dizia: "O programa 'Abertura' vai ser uma aula de democracia para, depois de tantos anos, ensinar na prática ao governo e ao povo que o retorno à legalidade é possível."

O "Abertura" – ainda em plena ditadura – entrevistou todos os nossos principais cassados e todos os grandes pensadores brasileiros.

Mas nada, ainda, era tão fácil. Eu me lembro que Sílvia Roesler fez um excelente programa sobre o ministro Petrônio Portela para a TVE do Rio. O programa era feito com entrevistas do ministro. Como o programa só ficou editado após a morte de Petrônio, ele foi impedido de ir ao ar com a explicação de que "era liberal demais".

Agora, 1985, quando Tancredo Neves morre para abrir as portas do Estado de Direito, o importante é a televisão saber olhar para a frente.

Olhar para a frente, neste momento, significa olhar para dentro do Brasil. Nossas câmeras precisam ver e viver o nosso povo.

Isso já começa a ser feito. Programas como "Xingu", "O Tempo e o Vento" já marcam esses primeiros passos. O telejornalismo começa a se preocupar com os nossos problemas sociais.

Os abusos que ainda existem serão denunciados. Num desses dias a TV mostrou policiais espancando um brasileiro. Os policiais foram identificados e estão sob processo na Justiça.

A TV acende suas câmeras. O jornalismo, recuperando a sua dignidade, voltará a ser o grande caminho da televisão.

Na verdade, em nenhum tempo um veículo de comunicação teve o impacto jornalístico da televisão.

Suas câmeras estão em todos os lugares. Na Copa do Mundo, nas naves espaciais, correndo dentro do corpo humano, mostrando e vivendo as guerras. Não existem mais limites.

Mesmo assim, para que a TV tenha um sentido mais forte e duradouro é importante questionar sempre.

Televisão é divertimento, é progresso ou é, acima de tudo, civilização?

Nesses 20 anos eu acompanhei de perto o incrível avanço da tecnologia eletrônica. De dentro dos estúdios eu vi a chegada das primeiras máquinas de vídeo-tape, vi quando foi feita a primeira transmissão a cores mostrando o general Médici na Feira da Uva, os satélites fazendo a conexão mundial e, de repente, a Embratel ligando todo o Brasil.

O jornalismo ganhou grande velocidade. Tudo que acontece no mundo é visto, pelos brasileiros, no mesmo dia. Mas é sempre importante perguntar:

– Com esse imenso avanço tecnológico estamos sabendo fazer uma TV mais inteligente?

– A televisão tem contribuído efetivamente para melhorar o nível cultural do nosso povo?

– O interesse público tem estado acima do interesse comercial?

Hoje, mais de 70 milhões de brasileiros, de todas as classes, passam grande parte do seu tempo diante de um receptor de TV.

As nossas crianças estão vendo mais de seis horas de TV por dia: mais tempo que o colégio, mais tempo que dedicam aos pais.

Geralmente, numa casa brasileira, a TV está sempre no melhor lugar da sala. Ela é forte. Faz rir, chorar e sabe emocionar. A cada dia ela cresce e aumenta o seu domínio.

Os programas de grande audiência, programas que ocupam o chamado "horário nobre", geralmente não estão preocupados em acrescentar novos conhecimentos ao nosso povo.

Ao contrário. São sempre programas que, intelectualmente, estão nivelados com a cultura das grandes massas. Em outras palavras: a programação está nivelada por baixo, buscando sempre melhores índices no IBOPE.

Existe uma frase do Sérgio Porto, que ao entregar o *script* ao diretor de uma emissora disse:

– Está aí. Pior eu não sei fazer.

A cultura, na verdade, nunca foi uma grande preocupação da televisão. Entretanto, não podemos ser um Brasil forte quando temos um povo fraco. Todos nós sabemos que a evolução econômica sempre caminhou ao lado da evolução cultural.

O Brasil é grande. A nossa dimensão continental mostra que só a televisão, com o seu poder de comunicação, poderá elevar rapidamente e com eficiência o nível cultural do nosso povo.

O jornalismo – quando existe liberdade de imprensa – é o lado mais positivo da televisão brasileira.

A TV cresce e ganha sua verdadeira personalidade através do bom jornalismo: a notícia dada com criatividade, o comentário inteligente, a entrevista humana e, sobretudo, as grandes reportagens e os debates com profundidade.

O jornalismo é a verdadeira linguagem da televisão. A novela é a fusão do cinema com o teatro. Os *shows* são, no fundo, espetáculos televisionados.

A TV cresce com o jornalismo. O jornalismo é a fotografia da vida. Da vida ao vivo, em movimento.

Perdemos nesses 20 anos muito tempo. O Brasil montou um grande parque eletrônico, ultramoderno, para ouvir: "Nada a declarar." Era absolutamente ridículo e todos nós, profissionais e espectadores, só podíamos sentir vergonha de tão terrível opereta.

Agora, com a Nova República, a TV tem compromissos urgentes com o nosso povo.

A televisão tem a obrigação de mostrar o Brasil aos brasileiros, tem o compromisso de mergulhar na nossa realidade e deve ter como objetivo principal ajudar na descoberta de soluções para os nossos grandes problemas: saúde, educação, custo de vida, etc. . .

É importante que os jovens se preparem para fazer essa nova televisão. Os espaços para o jornalismo vão aumentar.
Para isso basta a gente olhar um pouco da história recente da TV norte-americana e a sua evolução permanente para o jornalismo.
Nos anos 60 a televisão norte-americana mergulhou numa fase muito alienada que foi chamada de *Escapism Programing*. Programas como "Peyton Place", "Dallas", "Casal 20", "Kojak" passaram a dominar os principais horários.
Aos poucos, entretanto, o norte-americano médio, pressionado pela crise internacional, foi percebendo que o seu emprego, a sua segurança e a sua felicidade estavam ligados aos grandes acontecimentos.
A partir daí, a grande audiência norte-americana passou a se interessar pela realidade: Vietnã, Watergate, Oriente Médio, a crise do petróleo, etc. . . Há alguns anos, em Atlanta, um homem chamado Ted Turner informou que ia inaugurar um canal a cabo com 24 horas diárias de notícias. Ted Turner foi acusado de aventureiro e louco.
Inaugurada a CNN – Cable News Network – Ted Turner controla hoje uma audiência de 15 milhões de espectadores através de mais de 100 emissoras. As grandes redes – ABC, CBS e NBC – que não acreditavam no sucesso de Ted Turner já estão criando suas redes paralelas com *24 hour news*.
Além de audiência, prestígio. Hoje o programa mais importante da TV norte-americana é o "60 minutos".
Roone Aeledge, presidente da ABC, dando uma entrevista na *Broadcasting Magazine*, dizia: "Jornalismo é programação competitiva. Eu acredito que a tendência é só aumentar".
No Brasil a tendência também é de aumentar. Os espaços comerciais mais valorizados da Rede Globo são do "Jornal Nacional" e do "Fantástico". Além disso, aqui no Brasil, a tendência natural é substituir os espaços ocupados pelos filmes importados por jornalismo.

Os filmes são vendidos para as televisões em dólares. Com a desvalorização constante do cruzeiro a compra de muitos filmes fica impraticável. Mais econômico e mais inteligente é substituir esses espaços por jornalismo de boa qualidade.

Isso significa abertura de mercado de trabalho para jornalistas. A ditadura, para se defender, está sempre preocupada em reduzir os espaços de telejornalismo. Quanto menos se falar, melhor.

Agora é diferente. Como se fosse um milagre – e esse é o verdadeiro milagre – a gente descobre nos comícios das diretas o povo novamente interessado em participar, querendo sempre saber mais.

Esse milagre foi a consciência coletiva, todos juntos, procurando salvar e fazer um Brasil melhor.

Eu me lembro do comício das diretas na Candelária. No começo, as câmeras de televisão estavam tímidas. Aos poucos suas luzes foram se acendendo e o comício era transmitido – ao vivo – para todo o Brasil. As pessoas, no comício, senhoras, estudantes, senhores da classe média, jornalistas, operários – estavam todos sérios e compenetrados. Cada um carregava dentro de si o sentimento patriótico pela liberdade e pela dignidade do Brasil.

Se a TV não acordasse suas câmeras ela estaria perdendo, sem a menor dúvida, o respeito do público.

Acho que o comportamento do nosso povo na campanha das diretas revela o caminho jornalístico da nossa televisão.

Nesta nova fase da vida brasileira a integração TV e povo é absolutamente inevitável. Estamos acordando para a televisão verdade.

Estamos cansados de ouvir "nada a declarar" quando sabemos que de minuto em minuto está morrendo uma criança de fome.

O avanço tecnológico representou apenas um alto padrão de qualidade técnica em nossa televisão. Se você pretende conhecer e viver o Brasil, se você está preocupado em buscar novas soluções para o nosso povo, se você deseja a nossa independência econômica, o caminho, certamente, está nas telas das televisões.

De que forma vamos mostrar a importância de uma nova Constituição? Mais ainda: de que forma vamos ouvir a opinião e os desejos do nosso povo? De que forma vamos revelar novos líderes políticos, de que forma vamos ouvir abertamente os sindicatos e os estudantes?

Uma televisão livre para um povo livre. Essa deve ser a televisão da Nova República. Liberdade, criatividade e responsabilidade são palavras que podem caminhar juntas – juntas com o povo.

É exatamente isso que o povo vai exigir da nossa televisão. No mínimo, respeito pelo próprio povo. Em todos os momentos, a defesa intransigente da democracia.

Para isso, não deverá haver censura jornalística. É muito importante que cada um possa dar a sua opinião, expressar a sua verdade.

Em nossa televisão, até hoje, principalmente nos anos de ditadura, a censura tem sido uma forma de agressão, não apenas ao profissional, mas ao povo de um país.

Afinal, qual é a linha divisória entre o proibido e o não proibido? O escritor Alexis de Tocqueville, em 1938, no seu famoso livro *A democracia na América,* dizia:

– Se alguém me mostrasse, entre a independência completa e a sujeição total do pensamento, uma linha intermediária em que eu pudesse manter-me, não teria dúvidas em deter-me nela.

A linha intermediária de Tocqueville. Uma linha quase invisível, delicada e frágil que se movimenta com os ventos.

Que homens da televisão ou da censura sabem ver essa linha com absoluta certeza e nitidez?

A verdade, muitas vezes, pode ser chocante – mas sempre é a verdade. E a verdade é mil vezes melhor do que a mentira.

Quando em São Paulo o edifício Joelma pegou fogo a TV

mostrou pessoas que se jogavam das janelas para morrer nas calçadas. Evidentemente, essas cenas horrorizaram a opinião pública. Muita gente criticou a televisão acusando-a de sensacionalista.

Entretanto, foram essas cenas – exatamente por serem chocantes – que modificaram todas as nossas leis de prevenção ao fogo. Sem a menor dúvida, essas cenas já salvaram muitas e muitas vidas.

Basta lembrar a guerra do Vietnã. Foi quando a televisão começou a transmitir as cenas sangrentas das batalhas que a opinião pública norte-americana teve consciência exata do que estava realmente acontecendo. A pressão da opinião pública sobre o governo Nixon foi de tal forma que se chegou, rapidamente, ao fim da guerra. Só esse fato, por exemplo, justifica a existência da televisão.

É evidente que se a TV no Brasil tivesse tido a liberdade de debater com profundidade as medidas que eram tomadas por Roberto Campos ou Delfim Neto não estaríamos hoje na situação econômica que estamos.

Agora, estamos começando uma nova televisão. Os políticos já sabem olhar dentro dos olhos do povo e não ouvimos mais "Nada a declarar".

Novos profissionais serão motivados pela nova televisão. O importante é a preocupação constante para que essa nova televisão – a mais poderosa máquina de comunicação de todos os tempos – possa ajudar a todos os brasileiros. Isso faz sentido.

GABRIEL PRIOLLI

A Tela Pequena no Brasil Grande

Não estava nada má a programação de TV em São Paulo, naquela chuvosa terça-feira de 31 de março de 1964. O grande destaque eram as telenovelas em capítulos diários, lançadas pela TV Excelsior em julho do ano anterior. A TV Tupi estreara no gênero dias antes, em 2 de março, com "Alma Cigana", uma história do mexicano Manuel Muñoz Rico, adaptada por Ivani Ribeiro. Nela, a atriz Ana Rosa vivia um conflito típico do estilo folhetinesco de então: de dia era uma freira recatada, de noite uma dançarina cigana. Mas a Excelsior não ficava atrás e exibia outro petisco latino, "As Solteiras", de Alberto Migré, onde brilhavam três jovens recatadas (Arlete Montenegro, Flora Geni e Neusa Amaral), sob a mão de ferro da mãe (Lídia Costa) e o cerco do galã Armando Bogus.

Outro destaque da época, fruto da internacionalização crescente da economia brasileira, eram os seriados norte-americanos, alguns deles da melhor safra que Hollywood já produziu. Naquela noite, na TV Record, o invencível Sargento Saunders (Vic Morrow) massacrava alemães em "Combate", enquanto o não menos durão Eliot Ness, agente federal (Robert Stack), estourava destilarias clandestinas em plena Lei Seca, em "Os Intocáveis". No pacote de importados, havia boas atrações também para as crianças: desenhos animados do "Zé Colméia" (TV Paulista) e do "Pepe Legal" (Record), mais modernos que os tradicionais *shows* infantis como "Pullmann Jr." ou "Showzinho Kellog's".

Aquela terça-feira tinha também J. Silvestre em "O Céu É o Limite" (TV Cultura, antes da estatização) e Eva Vilma e John Herbert em "Alô Doçura" (Tupi), para os *habitués* de longos anos. E, por ironia, era também o dia dos *shows* humorísticos, como "O Mundo Alegre de José Vasconcelos" (Record), "Horário No...brega", com o grande Manuel de Nóbrega (Paulista) e "O *Show* é Colé" (Excelsior). Mas aquele foi certamente um péssimo dia para risadas. As informações sobre o movimento militar chegavam desde as primeiras horas da manhã, elevando a tensão e fazendo com que os telespectadores procurassem ansiosamente todos os noticiários: do principal deles, o "Repórter Esso", que Kalil Filho dirigia e apresentava na Tupi, ao inovador "*Show* de Notícias", da Excelsior, onde despontavam Fernando Pacheco Jordão, Vladimir Herzog e outros nomes que ficariam célebres no telejornalismo.

Em matéria de notícias e emoções, a programação de 1º de abril seria ainda melhor, ao menos para os cariocas. Afinal, além do que acompanhavam nos telejornais,* puderam assistir ao vivo ao "espetáculo" do incêndio do prédio da UNE, na praia do Flamengo, transmitido pela TV Rio, com "produção" dos inesquecíveis rapazes do Comando de Caça aos Comunistas. Mas, por falta de câmeras nas proximidades, os cariocas deixaram de ver um outro *show*, talvez até melhor: a tentativa frustrada do animador Flávio Cavalcanti de invasão do jornal janguista *Ultima Hora.*[1]

A presença da televisão na cena política daquele tempo foi intensíssima, tanto na cobertura como na preparação do golpe. O Instituto de Pesquisas e Estudos Sociais (IPES) e o Instituto Brasileiro de Ação Democrática (IBAD), órgãos criados pelos golpistas para semear e articular a insurreição contra as propostas reformistas de João Goulart, fi-

* Ver, no artigo de Fernando Barbosa Lima neste mesmo volume, o trecho sobre o "Jornal de Vanguarda" da TV Excelsior.

nanciaram dezenas de programas, em emissoras de todo o país, para a pregação do anticomunismo e de críticas ao governo.[2] Aproximaram-se de produtores, atores e diretores de programas de TV, como Gílson Amado e João Batista do Amaral, sem esquecer de pressionar aqueles que não lhes eram simpáticos, como foi o caso de Chico Anísio.[3]

Toda essa ação ideológica, orquestrada cuidadosamente ao longo de três anos para assustar a classe média com o fantasma de uma inconcebível "comunização do país", atingiu o clímax depois do comício de 13 de março de 1964, o chamado Comício da Central. Nele, Jango comprometeu-se com as Reformas de Base, diante de uma enorme massa popular e das câmeras de TV. Apesar da serenidade que procurava mostrar, fazendo-se acompanhar da esposa, Maria Teresa, nem Goulart e nem a aterrorizada classe média que o viu falando no vídeo tinham dúvida naquele momento de que a situação era gravíssima e que poderia explodir a qualquer momento.

A explosão não tardou muito e veio não apenas para substituir as novelas, seriados e *shows* pelos noticiários, no interesse dos telespectadores de uma noite chuvosa de março. Veio, na verdade, para mudar profundamente a TV, reordená-la para uma longa era de modernização tecnocrática do país, feita à custa de intolerância e autoritarismo, era que estimulou, exaltou, serviu, defendeu e acabou por enterrar, depois de 21 anos. Espelho cor-de-rosa do regime militar, a televisão brasileira não nasceu nem morreu com ele, mas lhe deve a potência que é hoje.

Anos 50: O Patrocinador Faz o "Show"

Nos dois primeiros anos de vida, a TV não foi mais que um brinquedo de luxo para as elites do país, como é hoje o videocassette. Um televisor custava três vezes o preço da mais cara radiola do mercado e só um pouco menos que um automóvel. Daí porque a programação oferecida pelas emissoras nos anos 50 tivesse aquele "alto nível" tão cobrado hoje pelo público mais letrado. Apesar de sua enorme precariedade, que forçava os produtores a uma improvisação sempre oscilante entre a genialidade e o ridículo, a TV entrava nas salas de visita da gente de bem para lhe dar atrações compatíveis com seu *status:* teatro clássico e de vanguarda, música erudita, informação jornalística e debate político, cardápio misturado com o tempero de alguns *shows* populares.

Duas características são marcantes na programação inicial da TV brasileira: a herança radiofônica e a subordinação total dos programas aos interesses e estratégia dos patrocinadores. Ao contrário da TV norte-americana, que se ergueu sobre a sólida base da indústria cinematográfica, a nossa TV teve de recorrer à estrutura do rádio, "importando" procedimentos técnicos, esquemas de programação, idéias e mão-de-obra. Programas como os humorísticos "PRK-30" e "Balança mas não Cai", ou o jornalístico "Repórter Esso", logo ganharam sua versão televisiva, alguns deles persistindo até hoje (caso do "Cassino do Chacrinha", nome do primeiro programa radiofônico de Abelardo Barbosa). Além disso, toda uma geração de vozes ganhou rosto – Hebe Camargo, Válter Foster, Aírton e Lolita Rodrigues, Blota Júnior e Sônia Ribeiro, entre outras tantas, inclusive artistas dos bastidores, como Janete Clair, Válter George Durst e Cassiano Gabus Mendes.

Mas, em razão do pequeno público que atingia no início, a televisão não entusiasmava os anunciantes e suas agências de propaganda, que continuavam preferindo o rádio, as revistas e os jornais para comunicar-se com os consumidores. A área comercial da TV foi desbravada pelas agências de propaganda estrangeiras instaladas no Brasil, que já tinham experiência com o veículo em seus países de origem. Aqui, os patrocinadores eram senhores absolutos dos programas, escolhendo e contratando diretamente os artistas e produtores. A novelista cubana Gloria Magadan, assim como o Bôni (José Bonifácio de Oliveira Sobrinho), da Rede Globo, por exemplo, eram contratados da Colgate-Palmolive, através da agência Lintas. O patrocinador decidia sobre tudo e à emissora restava a tarefa de ceder estúdios e equipamentos e pôr o programa no ar.

Esta é a razão por que, naquele período, os programas tivessem seus nomes associados diretamente ao do patrocinador. "Teledrama Três Leões", "Espetáculos Tonelux", "Grande Gincana Kibon", "Histórias Maravilhosas Bendix", "Mappin Movietone", "Teatro Walita", "Boliche Royal", "Cine Max Factor", "Sabatinas Maizena", os produtos literalmente infestavam o vídeo e marcavam o conteúdo dos programas, com suas garotas-propaganda tornando-se freqüentemente tão conhecidas e queridas pelo público quanto qualquer apresentador, ator ou cantor. Evidentemente, essa fraqueza das emissoras diante dos anunciantes correspondia à própria fragilidade da indústria televisiva naquele momento. Sem o auxílio do vídeo-tape e de uma infra-estrutura mínima de telecomunicações, a TV ainda era um fenômeno insular e voltava-se apenas para cada cidade onde estava isoladamente implantada. No caso de empresas que se haviam expandido geograficamente (Tupi, por exemplo), certos programas eram feitos com elencos e equipes técnicas diferentes em cada cidade, o que demonstra a dificuldade de racionalizar e controlar os custos. É justamente a entrada do vídeo-tape no mercado, a partir de 1960, que vai iniciar uma reformulação dos padrões do negócio televisivo, processo que chega ao auge com o advento da TV Globo, em 1965.

O VT Vira a TV do Avesso

Os primeiros equipamentos de vídeo-tape chegaram ao Brasil para realizar um trabalho em que eram, de fato, indispensáveis: mostrar a todas as regiões do país as cerimônias de inauguração de Brasília. Naquele início da década de 60, apenas São Paulo, Rio e Belo Horizonte estavam interligadas por sistema público de telecomunicações, que possibilitava a transmissão direta, ao vivo, de TV. Com seus próprios equipamentos de microondas, as emissoras não tinham condições de fazer a transmissão direta de Brasília para o Centro-Sul do país. A única solução era gravar as imagens, transportar as fitas em avião e exibi-las nas outras cidades.

Mas este foi apenas o primeiro da série de problemas que o VT resolveu. Antes que os técnicos descobrissem sua linguagem específica e os recursos do corte e da montagem de cenas (o que aconteceria em 1962, na TV Excelsior, com o "Chico Anísio Show"), o VT já estava racionalizando a produção de TV. Os programas feitos ao vivo, sujeitos a toda sorte de erros, passaram a ser gravados e a qualidade, evidentemente, melhorou. Além disso, a produção das emissoras pertencentes a um só grupo econômico foi progressivamente centralizada, acabando com os vários elencos para um mesmo *show*. Acima de tudo, os programas passaram a circular nacionalmente, de emissora para emissora e de região para região, criando o embrião das futuras redes nacionais de TV.

A introdução do VT teria impacto também sobre um gênero bastante apreciado de programas, conhecido dos telespectadores desde 1951, mas radicalmente modificado a partir de 1963: as telenovelas. "O vídeo-tape vai viabilizar o surgimento das novelas diárias – até então, além de escassas, limitadas a dois capítulos semanais –, que em pouco tempo ocupariam um papel fundamental na televisão brasileira, possibilitando a implantação de uma estratégia de programação horizontal – divisão em faixas horárias, repetidas nos diversos dias da semana, com o intuito de criar o hábito –, no lugar da então adotada programação vertical – espécie de TV *à la carte,* com programas distintos a cada dia" – observa o Prof. Luís Eduardo Potsch de Carvalho e Silva, em tese de mestrado sobre a TV brasileira.[4]

A TV Excelsior, uma moderna emissora criada em 1959 pelo Grupo Simonsen (exportação de café, porto de Paranaguá, Panair do Brasil), lança a primeira telenovela diária, "2-54-99", baseada num *script* argentino de Alberto Migré, com adaptação do também argentino Tito de Miglio. O público gostou da novidade e foi se habituando a ligar o televisor todos os dias num mesmo canal, sem, contudo, demonstrar entusiasmo exagerado com qualquer novela. A explosão do gênero viria só em 1964, fazendo com que os brasileiros esquecessem as dificuldades do arrocho salarial e das medidas repressivas patrocinadas pelo regime militar. Em 7 de dezembro, estreava na TV Tupi de São Paulo, às 21h30m, "O Direito de Nascer", transmitida também pela TV Rio. Uma história do cubano Felix Caignet, adaptada para TV por Teixeira Filho e Talma de Oliveira, com Amílton Fernandes, Natália Timberg, Isaura Bruno, Maria Luísa Castelli, Henrique Martins, José Parisi, Guy Loup e Luís Gustavo.

"O Direito de Nascer" virou uma mania e seu impacto sobre o público pode ser bem avaliado neste relato do jornalista Ismael Fernandes, um especialista em novelas: "Seu encerramento, a 13 de agosto de 1965, teve uma festa em São Paulo, no ginásio do Ibirapuera e, no dia seguinte, a façanha seria repetida com maior repercussão no Maracanãzinho, no Rio de Janeiro. O estádio superlotado dava uma mostra do poder das novelas sobre as massas. Numa espécie de neurose coletiva, o povo gritava os nomes dos personagens e chorava por Mamãe Dolores, Maria Helena e Albertinho. No tumulto do primeiro grande sucesso que a TV brasileira registrava, a atriz Guy Loup chegou a desmaiar ante a emoção. Na verdade, nenhum ator brasileiro, em qualquer época, tivera as honras de tanta ovação."[5]

Depois de "O Direito de Nascer", as novelas transformaram-se no principal produto da televisão brasileira, estimulando a competição no gênero entre as grandes emissoras da época: Excelsior, Tupi e Rio. Em cada uma das emissoras, havia entre três e quatro novelas no ar, lembrando o velho sucesso do gênero no rádio, nos anos 40, quando havia estações com quase 20 títulos sendo produzidos. A Excelsior foi a que mais investiu, com grande receptividade do público. Uma de suas histórias – "Redenção", de Raimundo Lopes – chegou ao inacreditável número de 596 capítulos, ficando no ar de maio de 1966 a maio de 1968. Nela, Francisco Cuoco fazia um misterioso médico que chega a uma cidade do interior, causa grande inquietação, demole corações e realiza até um transplante cardíaco, o primeiro bem-sucedido no Brasil. . .

MPB ou Baixaria. É o Império dos Auditórios

Nos anos 60, um fato econômico vai ter grande influência sobre a TV: a redução do custo dos televisores, como resultado do aumento da escala de produção. Com aparelhos mais baratos, amplia-se o mercado consumidor de TV, a publicidade passa a injetar maiores verbas no veículo e os conteúdos popularizam-se cada vez mais, para atender às exigências do novo público agregado. Por outro lado, as facilidades dadas ao capital estrangeiro a partir do golpe de 1964 facilitaram a importação maciça de programas dos Estados Unidos, comprados a baixo custo, já que seu preço era diluído a nível de mercado mundial. É então no tripé novelas/enlatados/*shows* de auditório que a televisão brasileira vai cruzar a década.

Inicialmente, é a Excelsior que lidera na área de *shows*, levando para seus estúdios quase todo o elenco da TV Rio. O programa de Chico Anísio torna-se o mais prestigiado da TV, Bibi Ferreira apresenta sua série "Brasil 60" (a cada ano, mudava o algarismo final da década) e o modelo norte-americano de *show* brilha em "Times Square". Mas enquanto a concorrência na TV ficava entre os *shows* tradicionais, novelas e seriados, uma grande efervescência musical tomava conta dos meios universitários e intelectuais. Era o avanço da Bossa Nova, depois o da música de protesto, que desembocaria na TV em 1965, no 1º Festival Nacional de Música Popular Brasileira. Elis Regina, cantando "Arrastão", faz um sucesso espetacular e fica evidente a potencialidade da música na TV. Só que a Excelsior desentende-se com os organizadores do festival e estes transferem-no para a Record, abrindo nessa emissora um ciclo de muito sucesso, qualidade e audiência.

A Record não levou muito para entender o que tinha nas mãos. Percebeu rapidamente que um casamento com a música popular, em *shows* de auditório, seria a sua brecha para atingir a liderança de audiência, já que não tinha um grande *cast* e nem fazia novelas. Em abril de 1965, estreou o musical "O Fino da Bossa", com Elis Regina na apresentação. Era o mesmo nome e a mesma idéia do espetáculo concebido por Válter Silva e realizado com grande êxito no Teatro Paramount, de São Paulo, poucos meses antes. O programa transformou-se logo numa trincheira da MPB, numa fase em que os adeptos de cada gênero musical organizavam-se quase em clãs.

Meses depois, em setembro, a Record atendeu a um outro clã, o da música jovem derivada do *rock and roll* norte-americano, estreando o musical "Jovem Guarda" e entregando o comando a um ídolo emergente: Roberto Carlos. Daí para a frente, não parou mais de fazer musicais. "Bossaudade", com Elisete Cardoso e Ciro Monteiro, para a velha guarda da MPB. "Pra Ver a Banda Passar", com Chico Buarque de Holanda e Nara Leão, para a geração universitária, etc. O sucesso dessa linha de *shows* permitiu a diversificação da programação na emissora e outros grandes sucessos foram lançados: "Hebe", em programa exclusivo (1966), o humorístico inesquecível "Família Trapo" (1967), com Zeloni, Golias, Jô Soares, Renata Fronzi, Cinira Arruda e Ricardo Corte Real, o musical-humorístico "Corte Rayol Show" (1967), com Aguinaldo Rayol e Renato Corte Real, entre outros.

Enquanto a classe média e a burguesia embalavam-se aos sons variados da TV Record, as classes populares escolhiam um outro tipo de programação: os *shows* de variedades, de conteúdo freqüentemente apelativo e grosseiro, mas com atrações e artistas bem mais sintonizados com o universo cultural e a vivência desse público. Desde 1962, estava no ar o mais bem-sucedido desses *shows:* o de Sílvio Santos, ainda na TV Paulista, com duas horas de duração e o nome de "Vamos Brincar de Forca?". Mas é com o surgimento da TV Globo, em 1965, e a estratégia de programação popular de que ela lança mão para abrir espaço no mercado, que os *shows* de auditório vão encontrar um nível de popularidade inédito, incomparável ao de veteranos como "O Céu É o Limite" ou "Esta É a sua Vida", fórmulas copiadas dos norte-americanos.

Sílvio Santos transfere-se para a Globo em maio de 1966, com a incorporação da TV Paulista. Seu programa é rebatizado para "Música e Alegria" e aumenta para quatro horas de duração, com índices de audiência crescentes. Também na Globo estão Chacrinha, Derci Gonçalves e Raul Longras ("Casamento na TV"), todos à frente de *shows* que misturam concursos de calouros, brincadeiras e todo tipo de bizarria, e que levariam o professor Muniz Sodré a enquadrá-los na categoria estética de "grotesco".[6] O máximo de aberração é atingido por Jacinto Figueira Júnior, "O Homem do Sapato Branco", e José Mojica Marins com seu "O Estranho Mundo de Zé do Caixão".

Fim da Concorrência: A Globo Decola

A década de 60 foi a última em que a televisão brasileira assistiu à disputa das emissoras pela liderança de audiência. A bola começou com a dupla Record/Rio, passou para a Excelsior, ficou temporariamente com a Tupi durante "O Direito de Nascer", voltou depois à Record e chegou a 1969 com o jogo amarrado no meio de campo da Record e Tupi, ambas em baixa, e da Globo, emergente. A Record, apesar do grande sucesso de sua linha MPB, não criou uma estrutura empresarial capaz de projetá-la ao futuro. A Tupi, às voltas com um caos administrativo permanente, já vivia desde os anos 50 de lances isolados de sorte, como teve em 1964 e novamente naquele 1969, com outra inesquecível novela: "Beto Rockfeller".

A situação era crítica. Os anunciantes fugiam, a audiência despencava, não havia dinheiro para tirar grandes coelhos da cartola. Nesse quadro, Cassiano Gabus Mendes, então diretor de programação, aceitou um *script* de Bráulio Pedroso para uma novela urbana, bem-humorada, centrada num típico anti-herói brasileiro, um macunaíma simpático e enrolador: Beto (Luís Gustavo), funcionário humilde de uma loja de calçados, que quer dar o salto na vida e chegar à alta sociedade. Com essa história na mão e um elenco que ainda não havia tomado o rumo da Globo (Débora Duarte, Irene Ravache, Bete Mendes, Marília Pera, além de Maria Della Costa, Plínio Marcos e muitos outros de primeiro time), o diretor Lima Duarte imprimiu uma interpretação descontraída, radicalmente coloquial, e a novela explodiu. Não apenas no gosto do público, mas também explodiu o padrão ainda bastante teatral do gênero, abrindo uma nova fase, de sucesso ainda mais avassalador do que nos primeiros anos.

"Beto Rockfeller" foi o canto de cisne da Tupi, que definharia melancolicamente até seu fim, em 1980. Foi também uma bússola para a Globo, que vinha acumulando forças para atingir o topo e não sair mais de lá. É nesse capítulo da história da TV que a atuação do regime militar, até então discreta, indireta, torna-se completamente explícita e deixa claro que o Poder tem um projeto para a utilização do veículo. Desde 1962, quando o Congresso Nacional aprova a Lei 4117, o Código Brasileiro de Telecomunicações – um projeto de inspiração militar, plenamente identificado com as teses de integração nacional, segurança e desenvolvimento pregadas na Escola Superior de Guerra – estavam previstas grandes transformações na televisão. O código previa a implantação de um Plano Nacional de Telecomunicações, com a finalidade de interligar o Brasil através de sistemas confiáveis de telefonia, telex e televisão. Associado aos projetos de eletrificação das cidades e do campo, era a base tecnológica que faltava para as grandes redes nacionais de TV.

Em 1965, cria-se a empresa que fará o serviço: a Embratel. Em 1967, cria-se o mecanismo institucional para sustentar o esforço: o Ministério das Comunicações. Até julho de 1969, quando o Brasil liga a TV para ver o homem pousando suavemente na Lua, eles estenderão as linhas básicas de microondas no país e as ligarão ao sistema de satélites Intelsat, ampliando a instantaneidade da TV a nível universal. Era justamente com isso que a Globo contava: poder falar com todo o Brasil ao mesmo tempo. Esse era o padrão das *networks*, das redes norte-americanas, implantado na emissora carioca por especial gentileza do regime militar. A Constituição Federal, em seu artigo 160, proibia (proíbe, ainda) a associação de grupos nacionais de comunicação com grupos estrangeiros. Mas os militares fizeram vista grossa e deram o "jeitinho" de rejeitar a condenação unânime de uma Comissão Parlamentar de Inquérito, instituída em 1966 para julgar os acordos da Globo com o grupo norte-americano *Time-Life*.

O contrato com o *Time-Life* rendeu à Globo uma injeção de 5 milhões de dólares e a transferência de todo um *know-how* administrativo, técnico e comercial inédito na TV brasileira. Pela primeira vez uma empresa de televisão organizava-se em padrões sólidos e modernos, preparando-se para um futuro de estabilidade. A gestação do gigante foi lenta e isso desanimou os amigos norte-americanos, que deixaram a sociedade em 1969, justamente no ano em que a Globo iniciaria a sua arrancada. Ela veio em 1º de setembro, com um lance de ousadia que deu certo: o lançamento do "Jornal Nacional", primeiro programa da TV brasileira transmitido simultaneamente, em rede, para todo o país. Foi o líder de audiência mais fulminante que a nossa TV já conheceu. Sua primeira notícia, sintomaticamente, foi a posse da Junta Militar que sucedeu Costa e Silva, e que daria início ao período mais repressivo de toda a ditadura.

Novos dias, de um novo tempo. "Integração nacional" era a palavra de ordem, tanto para o regime, que precisava legitimar-se a todo custo e necessitava de um aliado competente e fiel, quanto para a Globo, que precisava atingir todos os mercados do país, para oferecê-los a seus anunciantes. Esse objetivo começa a ser atingido com uma estratégia de programação ainda baseada nos *shows* de auditório popularescos, mas com empenho cada vez maior nas telenovelas, já com o "sabor bem Brasil" apurado no molho de "Beto Rockfeller". O país começa a namorar Regina Duarte, Francisco Cuoco, Tarcísio Meira e Glória Meneses, em histórias concebidas e executadas com rigor técnico crescente. A Globo cria um eficiente Departamento de Análises e Pesquisas, que cumpre um papel fundamental no ajuste da fórmula das novelas ao gosto popular, e também na segmentação dos programas por faixas específicas de público (tardes para crianças e mulheres, início da noite para jovens, fim da noite para adultos, etc.).

A nível comercial, a Globo também implanta uma revolução. Ao contrário do que ocorria nos anos 50 e início dos 60, ela detém integralmente o controle da produção, deslocando o anunciante para sua condição atual de comprador de tempo televisivo. "A programação passa a ser definida em função do telespectador em primeiro lugar, como meio de ser posteriormente comercializada com os anunciantes", assinala o Prof. Potsch de Carvalho e Silva. "A comercialização muda o próprio conceito de produto: não é mais o programa em si que é vendido – caso dos patrocínios tradicionais, onde o anunciante se apresentava como dono do programa, a ponto dos diversos roteiros necessitarem da aprovação prévia dos gerentes de *marketing* para serem produzidos. Ao contrário, passa-se a deixar claro que é o tempo comercial que está sendo vendido – na verdade, o que se vende é a própria audiência (possibilidade de contato com o telespectador)."[7]

O sucesso da nova estratégia é fulminante. Em 1969, a Globo já detém nove dos dez programas mais assistidos na praça do Rio de Janeiro, onde sempre foi mais forte, mas tem apenas três dos dez mais de São Paulo. De 1971 para a frente, tem os dez mais não apenas em São Paulo e no Rio, mas em todas as praças onde chega o seu sinal, atingindo uma participação de 70% no mercado nacional de TV. Evidentemente, o dinheiro da publicidade começa a entrar como uma avalanche, até atingir 35% de toda a verba publicitária do país. São bilhões de cruzeiros, investidos na formação do mais poderoso elenco já reunido numa emissora, na implantação do mais eficiente sistema técnico de transmissão e no aprimoramento obsessivo da qualidade de produção, que vai resultar no "padrão Globo de qualidade". É o gigante acordando do berço esplêndido para ganhar o mundo.

O Regime Desinfeta o Vídeo

O Brasil entra nos anos 70 com guerrilhas, seqüestros, atentados e repressão militar. No vídeo, entretanto, tudo vai bem. Os telespectadores emocionam-se com a bravura de Tarcísio Meira em "Irmãos Coragem", ficam enternecidos com Regina Duarte em "Minha Doce Namorada", riem das graças de "Faça Humor, não Faça a Guerra" e congratulam-se com a moralidade administrativa do regime militar, apregoada por apologistas como Flávio Cavalcanti, na Tupi, e Amaral Neto, na Globo. O primeiro, no estilo melodramático que cultivava desde "Noite de Gala" (TV Rio, década de 50), atinge os píncaros do ufanismo e do adesismo, lançando no ar imprecações contra os opositores da Nova Ordem. Defende a Transamazônica, elogia a repressão, faz herói do detetive Nelson Duarte, ex-"Homem de Ouro" da polícia carioca, numa espetaculosa campanha anti-tóxicos. O segundo, não menos ativo, é o repórter do Brasil Maravilha, que percorre o país em aviões da Força Aérea, defendendo os militares e também execrando seus opositores. Chegou até a patrocinar uma campanha macartista contra a revista *Veja*, da Editora Abril, então submetida à férrea censura do regime, mas indócil, combativa.

Apesar do servilismo como a televisão em geral se comporta e da particular fidelidade da Globo a seus objetivos políticos, o regime militar exige ainda maior assepsia no vídeo. Na sua visão, não há mais espaço para os conteúdos popularescos, na época de um país que "vai para a frente". A pressão do governo sobre as emissoras aumenta, transgressões são punidas com multas e até suspensão (Chacrinha) e a Globo livra-se de Derci Gonçalves e Raul Longras. Mais tarde, em 1972, o governo volta à carga contra "a linha de agressão à sensibilidade e de grosseria"[8] de alguns programas e Chacrinha também deixa a Globo. Os animadores populares agora estão sob controle, ou fora da emissora dominante. Tudo é limpo e no padrão de bom gosto classe média no vídeo da Globo. Para embelezá-lo ainda mais, a televisão brasileira passa a contar, desde março de 1972, com um inestimável recurso técnico: a cor.

A implantação da cor na TV consolida de vez o padrão de qualidade dominante da Globo. A sofisticação técnica é levada às últimas conseqüências e o vídeo ganha a mesma plasticidade inofensiva dos cartões-postais. Tudo é lindo, arrumado, brilhante, colorido, moderno. Na noite de domingo, surge mais um campeão de audiência, destinado a marcar profundamente o estilo dos *shows* televisivos, com uma síntese perfeita entre entretenimento e informação: "Fantástico, o Show da Vida". "Este programa", observaram Carlos Alberto M. Pereira e Ricardo Miranda,[9] "não apenas abria um novo espaço na programação da emissora – por seu caráter de *variedades* que o aproximava de um modelo que já vinha sendo realizado, há muito, na imprensa escrita, através de certas revistas (como *Manchete,* por exemplo) –, como também oferecia, ao telespectador, uma tentadora alternativa ao programa de Flávio Cavalcanti, apresentado no mesmo horário pela TV Tupi. Era, assim, uma 'revista dominical', apoiada também sobre o jornalismo, cujos temas davam 'assunto para discussão' no dia seguinte."

Evidentemente, os temas que entravam em discussão no dia seguinte eram todos aqueles que não punham em xeque atitudes do governo ou que não se confrontavam com sua política. Da mesma forma, os programas humorísticos, que tradicionalmente concentram as cabeças mais críticas e que extraem seu sucesso das farpas que atiram contra o

Poder, estavam ferreamente controlados para não tocarem em feridas. "Faça Humor, não Faça a Guerra", "Satiricon", "Planeta dos Homens", "Chico Anísio Show" e outros programas da época eram forçados a explorar uma linha de sátira de costumes, inofensiva, sem chance de explicitar-se no terreno do social e do político. Mas resistiram o quanto puderam. Também nesse capítulo da resistência, destacou-se o trabalho de Dias Gomes, com uma novelística sempre voltada para o popular e uma leitura realista das contradições sociais do país ("Bandeira Dois", "O Bem Amado", "O Espigão", "Saramandaia", "Sinal de Alerta"), e teve bastante importância também a série "A Grande Família", escrita por Oduvaldo Viana Filho e Armando Costa, com Jorge Dória, Luís Armando Queirós, Osmar Prado e outros. No microcosmo de uma família carioca de classe média baixa, os autores projetaram em linguagem metafórica vários temas de apelo popular, escapando ao cerco da censura.

Mas as tentativas de resistência, por mais bem intencionadas que fossem e por mais sucesso que obtivessem em sua dissimulação, foram ao longo da década de 70 a exceção num quadro de intimidação dos homens de TV e delírios apologéticos do regime. O jornalismo, contando com as recentes câmeras portáteis de vídeo-tape, que substituíam com grande vantagem técnica as câmeras cinematográficas, ganhava em mobilidade e em beleza plástica, mas seguia amordaçado. Ao menos até meados da década, quando a insatisfação começa a substituir a euforia do "milagre econômico", é um tempo róseo para a ditadura. Bocas silenciadas em todo o país (e famintas), vozes adocicadas no vídeo. O presidente Emílio Médici não conteria seu entusiasmo, fazendo em março de 1973 uma declaração que ficaria famosa. "Sinto-me feliz todas as noites quando ligo a televisão para assistir ao jornal", disse ele. "Enquanto as notícias dão conta de greves, agitações, atentados e conflitos em várias partes do mundo, o Brasil marcha em paz, rumo ao desenvolvimento. É como se eu tomasse um tranqüilizante, após um dia de trabalho."

Fendas no Paredão da Ditadura

A "ilha de tranqüilidade" começou a afundar num mar de contradições a partir de 1975, quando o assassinato, nos porões do DOI-CODI, do jornalista Vladimir Herzog – então diretor de jornalismo da TV Cultura de São Paulo, emissora do governo do Estado – indignou a opinião pública e impeliu à frente o movimento de rearticulação da sociedade civil. A própria morte de Herzog desenhou os contornos dramáticos da resistência que a TV começou a oferecer ao regime, em escala crescente, depois que os efeitos da crise do petróleo, em 1973, fizeram-se sentir na economia nacional e diretamente no bolso de cada brasileiro. Mas os focos de rebeldia ainda eram isolados e todos eles fora do centro do sistema televisivo, a Globo, onde a censura – interna e externa – ainda era onipresente.

Enquanto esquentava o clima político, fatos importantes aconteciam no setor de televisão. O principal deles foi a implantação das "programações nacionais", ou a padronização da programação em todos os pontos do país. Quem se lançou à frente, numa de suas muitas tentativas de reerguimento, foi a Tupi. Em 1974, lança uma programação igual para todas as emissoras de sua rede, seguida da Globo, em 1975, e das demais, posteriormente. Com a programação nacional, implantava-se definitivamente o conceito de "rede", com a oligopolização do setor nas mãos de um reduzidíssimo grupo de empresas. Por outro lado, o interior do país integrava-se de forma irreversível aos padrões de consumo gerados no Centro-Sul, e que se serviam da TV como divulgadora. Nesse quadro, as telenovelas vêm jogando um papel decisivo e o *merchandising* (a introdução da publicidade no próprio conteúdo dos programas) ganhou importância especial, pela identificação que possibilita entre o carisma dos artistas e o dia-a-dia banal da massa consumidora.

Também em meados da década, precisamente em janeiro de 1976, Sílvio Santos ganha a primeira concessão de um canal de TV, no Rio de Janeiro. Logo após, em setembro, ele deixa de fazer seu programa dominical na Globo e transfere-se para a Tupi (São Paulo) e TVS (Rio), atingindo oito horas no ar a cada domingo, até hoje o recorde de tempo em um único *show*. Para alimentar o programa, e também a programação de sua emissora carioca, Sílvio Santos monta um conjunto de estúdios em São Paulo e organiza uma central de produção, que seria a base de sua futura rede nacional de emissoras. Na verdade, apenas ele surge como um possível fantasma ao brilho do vídeo da Globo. A Tupi não supera o seu *imbroglio* administrativo, a Record sofre o peso de alguns incêndios e posiciona-se como emissora "enlatada", com programação à base de filmes e seriados, e a Bandeirantes, surgida em 1967 e logo colhida por um incêndio em 1969, refugia-se numa programação "de nível", com muito prestígio e pouca audiência.

Isolada na liderança, sem concorrentes à vista, a Globo concentra-se no aperfeiçoamento de suas próprias fórmulas e inova pouco. Tão estáveis são seus índices de audiência que qualquer modificação lhe parece arriscada e o comodismo da repetição se instaura, ao menos até 1978. Aqui, no final do governo Ernesto Geisel, ocorre uma mudança política decisiva: é suspensa a censura prévia aos noticiários e à programação da TV. Se não acaba o controle político, que se transfere do Estado para os próprios empresários do setor (sai censura, entra auto-censura), ao menos o clima se desanuvia e abrem-se possibilidades de expressão que ficaram bloqueadas por anos a fio. Uma nova fase de criatividade vai surgir, para balançar o torpor televisivo.

O primeiro programa de repercussão nacional dessa fase será o "Abertura" (Tupi), criação do jornalista Fernando Barbosa Lima, que já dirigira o inventivo "Jornal de Vanguarda", na TV Excelsior do Rio. Tomando seu nome da palavra de ordem do governo João Figueiredo, "Abertura" propôs-se a ousar, confiando que o regime não recuaria. A coragem que mostrou em restaurar o discurso político livre no vídeo, fazendo falar vozes malditas por longos anos (Luís Carlos Prestes, Leonel Brizola, Darci Ribeiro, etc.), estimulou os ressabiados produtores de TV a ousarem eles também e solidificar a pequena brecha conseguida no paredão da ditadura. Também a nível da própria linguagem televisiva, "Abertura" deu espaço às intervenções de Gláuber Rocha, que pulverizou a estética acrílica e falsa do padrão global. Uma câmera nervosa, inquieta e "suja", e uma atuação totalmente engajada, opinativa, "quente" a nível das reportagens e entrevistas – com esses recursos Gláuber mostrou, em especial a uma geração emergente de jovens realizadores, que era possível fazer boa TV, mal comportada.

Na Globo, os ventos da mudança sopraram primeiro nos programas humorísticos, que voltaram a satirizar explicitamente temas e personagens da cena política. Depois, atingiram a área teledramática, com o lançamento das "Séries Brasileiras", onde se concentrou aquele talento artístico originário dos Centros Populares de Cultura, da UNE, e que se espraiou antes da ditadura pelo teatro, a música, o cinema e a poesia. Na época, o grande impacto foi o seriado "Malu Mulher", com Regina Duarte, onde a condição da mulher urbana, de classe média e independente, foi tematizada à luz das questões mais polêmicas: machismo, homossexualismo, preconceito racial, discriminação profissional, etc. Os outros títulos – "Carga Pesada", "Plantão de Polícia", "Obrigado Doutor", "O Bem Amado" – seguiram em linha próxima, de identificação da ficção com os fatos reais colhidos no noticiário. Este foi recuperando lentamente a independência, para ganhar enfim a credibilidade que o público lhe negou ao longo dos anos negros da década.

Novos Caminhos, Novas Peças no Jogo

Em 1980, novos fatos mudam o panorama da televisão brasileira. Depois de anos de tolerância, o governo cassa a concessão de todos os canais da Tupi, dividindo-os depois entre Sílvio Santos e Adolfo Bloch, dono de uma grande editora. Na concorrência pelo espólio da Tupi, são preteridos grupos poderosos como os da Editora Abril, *Jornal do Brasil* e Rádio Capital (São Paulo e Brasília), o que provoca uma enorme celeuma sobre os critérios políticos das concessões de canais de rádio e TV, e põe lenha no fogo dos que defendem mudanças radicais na legislação pertinente. O governo, indiferente, não faz segredo de sua preferência por empresários que lhe sejam mais confiáveis e amistosos.

Enquanto os novos concorrentes preparam-se para entrar no mercado, a Globo toma medidas para solidificar sua liderança. Em 1981, com o lançamento de "TV Mulher", inaugura a exploração sistemática e rentável do horário matinal da TV, lançando logo depois um telejornal – "Bom Dia São Paulo" – que é um teste para a implantação definitiva dos noticiários no café da manhã. No mesmo ano de 1981, Sílvio Santos põe a sua rede no ar, com a denominação de Sistema Brasileiro de Televisão e, em um mês, assume o segundo lugar nacional de audiência, para não mais perdê-lo e aproximar-se da Globo em diversos horários. Sua programação, pensada à imagem e semelhança do programa dominical, volta-se para as classes populares, com *shows* de auditório "recauchutados" da Tupi, novelas mexicanas dubladas em seus próprios estúdios e filmes. Nesse início, o grande impacto do SBT é um *show* vespertino, diário, que atualiza os velhos esquemas "apelativos" dos anos 60: "O Povo na TV", dirigido e apresentado por Wílton Franco. O programa é uma espécie de delegacia policial com posto do INAMPS, à qual o povo aflito recorre para resolver seus problemas, que, como de hábito, não faltam e nem são resolvidos pelo Estado.

Depois da experiência das "Séries Brasileiras", com histórias semanais completas, a Globo lança as "Minisséries", telenovelas compactas livres dos clichês do gênero e destinadas às faixas de público mais sofisticadas, consumidoras do similar norte-americano ("Raízes", "Holocausto", etc.). Alguns desses seriados, como "Lampião e Maria Bonita", "Avenida Paulista", "Moinhos de Vento" e "Bandidos da Falange", atingem um excepcional nível de realização, aumentando em muito a competitividade dos produtos da Globo no mercado mundial, para o qual ela já vinha fornecendo musicais, esporte, novelas e as "Séries Brasileiras". As exportações da Globo, de início tímidas e restritas ao mercado televisivo da América Latina, expandem-se progressivamente para as emissoras latinas dos Estados Unidos, depois para a Europa, África e Ásia, para atingir mais de cem países de todas as partes do mundo.

Mas o grande destaque dos anos recentes da televisão brasileira é a expansão acelerada da produção independente de vídeo, estimulada pelo *boom* do videocassette doméstico, a partir de 1982. As primeiras tentativas são feitas na TV Bandeirantes, na faixa das 23 horas, onde o núcleo de TV da Editora Abril (futura Abril Vídeo) realiza "Nova Mulher" e Válter Moreira Sales Júnior, que depois faria sociedade com Fernando Barbosa Lima e Roberto d'Ávila na produtora Intervídeo, realiza "Outras Palavras". A Bandeirantes dá espaço também, em "Mocidade Independente", à produtora TVDO, representante de uma nova geração de produtores que vem com idéias iconoclastas para o bom-mocismo da TV, na linha experimental de Gláuber Rocha.

Quando finalmente entra no ar a Rede Manchete, em 1983, a Abril Vídeo e o núcleo de TV do jornal *Gazeta Mercantil* fazem acordos com a TV Gazeta de São Paulo, uma pequena emissora local, e encontram a brecha no mercado que o governo lhes negou. A Gazeta posiciona-se como simples emissora e abre-se à produção independente, influenciando a própria Manchete, que divide sua programação com produtos comprados às produtoras. Novos nomes incorporam-se ao cadastro da TV: Olhar Eletrônico, Art Vídeo, todo um leque de novas empresas, pequenas ou grandes, que disputam agora o bolo antes reservado ao oligopólio das emissoras. Essa é a quarta época da TV brasileira – depois da TV ao vivo, do vídeo-tape e das redes nacionais – e sua promessa é de que, em poucos anos, o setor esteja completamente modificado, com novos canais surgindo e opções de programação para todos os gostos. Anos depois de manterem-se atrelados a uma televisão centralizadora, uniformizante e, freqüentemente, muito chata, os brasileiros vivem agora o sonho de um dia girar o botão do televisor e encontrar ali, sempre, um programa diferente para assistir. É o que eles esperam da TV brasileira, em suas próximas atrações.

NOTAS

[1] Citado pela revista *Veja*, nº 291, de 3-4-74, pág. 51.

[2] Dreifuss, René Armand. *1964: A conquista do Estado*, capítulo "Guerra Psicológica através do Rádio e da Televisão", Petrópolis, Vozes, 1981, pág. 244.

[3] *Idem, ibid.*, pág. 248. O original cita o nome de Gilson Arruda, quando o correto é Gílson Amado.

[4] Potsch de Carvalho e Silva, Luís Eduardo. *Estratégia empresarial e estrutura organizacional nas emissoras de TV brasileiras (1950-1982)*, dissertação de mestrado apresentada ao curso de Pós-Graduação da Escola de Administração de Empresas da Fundação Getúlio Vargas, São Paulo, 1983, pág. 196.

[5] Fernandes, Ismael. *Memória da telenovela brasileira*, São Paulo, Proposta, 1982, pág. 57.

[6] Sodré, Muniz. *A comunicação do grotesco*, Petrópolis, Vozes, 1972.

[7] Potsch de Carvalho e Silva, Luís Eduardo. *Op. cit.*, pág. 228.

[8] Entrevista do ministro das Comunicações, Higino Corsetti, à revista *Veja*, nº 175, de 12-1-72.

[9] Miranda, Ricardo; e Pereira, Carlos Alberto M. *O nacional e o popular na cultura brasileira – Televisão*, São Paulo, Brasiliense, 1983, pág. 95.

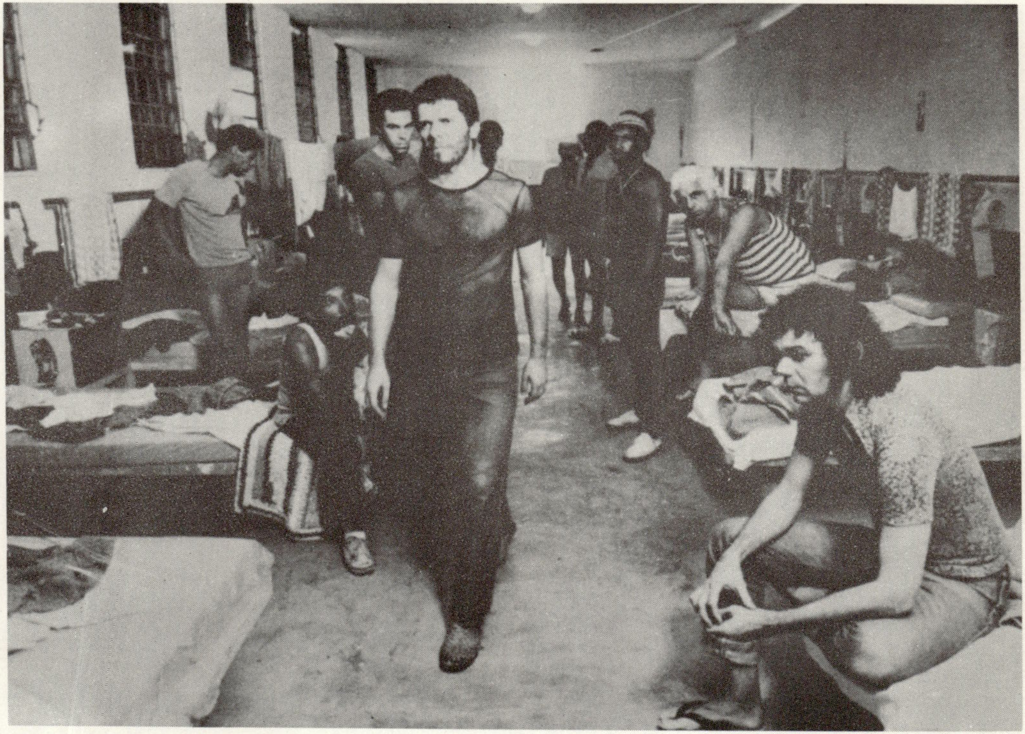

"Bandidos da Falange", mini-série da Rede Globo. A TV brasileira para o mundo ver.

Sílvio Santos. O programa que cresceu até virar uma estação de TV.

Regina Duarte em "Malu Mulher".
Mexendo com a moral e os bons costumes.

A "Salomé" de Chico Anísio. O humor reencontra a política.

"O Bem-Amado", Rede Globo. Novela sabor Brasil.

Amaral Neto. O repórter do regime.

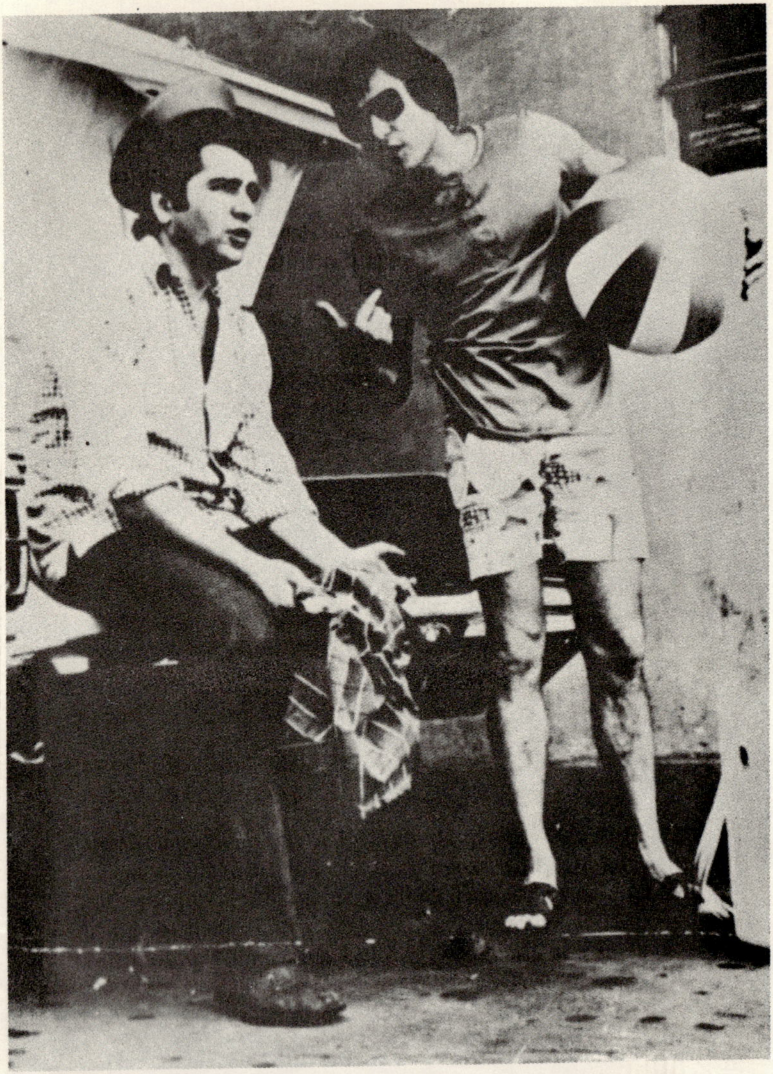

"Beto Rockfeller", TV Tupi. Pilantragem *versus* dramalhão.

Elis Regina em Festival da Record. O filão da MPB na TV.

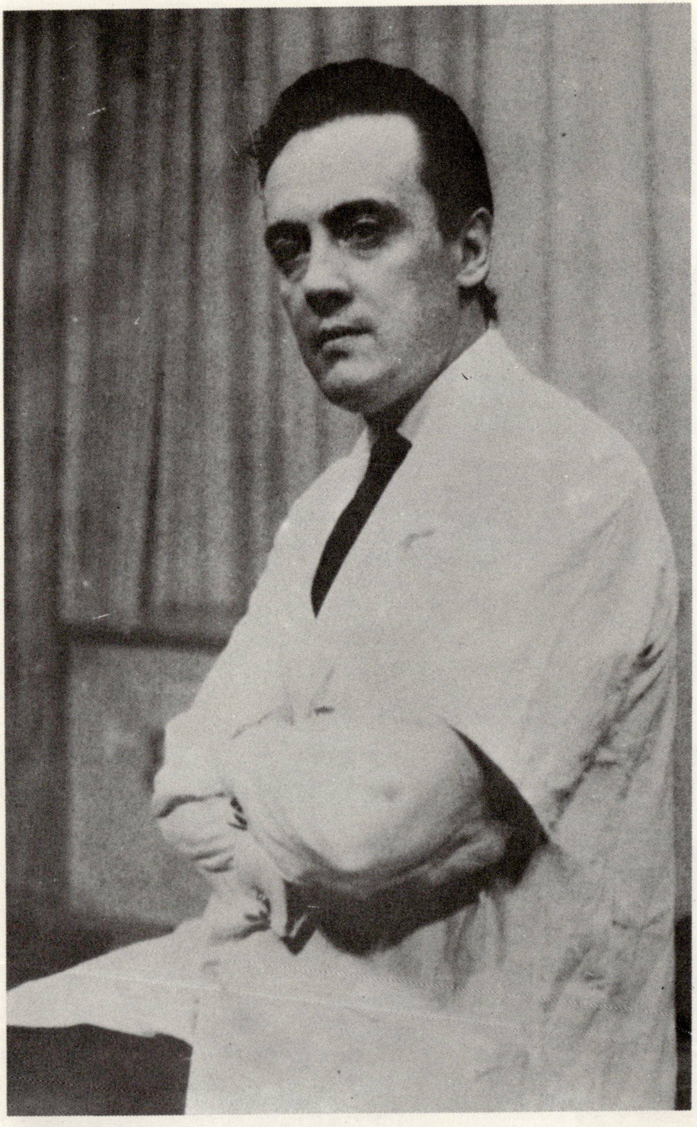

Hamilton Fernandes em "O Direito de Nascer".
O telespectador aprende a chorar — e gosta.

ARLINDO MACHADO

Notas sobre uma Televisão Secreta

Desde 1965, quando surgiram as primeiras câmeras de vídeo acopladas a gravadores portáteis, que utilizavam, por sua vez, fitas de pequena bitola (meia polegada em sistema de rolo e três quartos de polegada em cassette) uma espécie de televisão privada tornou-se realidade, abrangendo o ciclo completo de produção e exibição em circuito fechado. Esse equipamento, de custo relativamente barato em comparação com qualquer aparato profissional e de operação bastante simples, foi colocado no mercado pela indústria eletrônica japonesa, inicialmente para uso privado nas empresas, com vistas ao treinamento de funcionários, e mais tarde disseminado sob forma de mercadoria de consumo, para o lazer da classe média. Entretanto, nada pôde impedir que, em determinadas circunstâncias, as expectativas industriais fossem superadas. A simples disponibilidade desse equipamento abriu espaço para o nascimento de um número incontável de pequenas televisões diferenciadas, possibilitando a indivíduos ou grupos ativos cultural e politicamente produzir os seus próprios programas em circuito fechado.

Claro, a diferença de alcance em relação a qualquer modelo *broadcasting* de distribuição é gigantesca, pois a utilização das ondas eletromagnéticas neste último permite atingir uma vasta população de espectadores, marcando-lhe o caráter de mais poderoso meio de massa de nosso tempo. À vista disso, muitos analistas costumam traçar uma distinção rígida entre televisão e vídeo, reservando a este último o *status* de veículo de elite, destinado a setores muito específicos da população. A verdade, porém, é que a distinção fica cada vez mais difícil de ser mantida, pois tanto as produções privadas já começam a visar espaço nos canais convencionais da televisão, como o próprio modelo monolítico da TV *broadcasting* começa a conhecer experiências de ruptura e dispersão, com a introdução da tecnologia do cabo e das várias alternativas de televisão comunitária. As mutações que acontecem hoje no campo da televisão (satélite, alta definição, técnicas interativas, tratamento digital, etc.) pressupõem a mediação do vídeo em várias de suas etapas, tornando obsoleta aquela distinção.

Melhor talvez fosse falar de uma diferença de intensidade. Menos comprometido com a centralização de interesses e com o alto custo do capital verificáveis no modelo *broadcasting* convencional, o vídeo pode, por isso mesmo, investir no aprofundamento da função cultural da televisão, avançando, de um lado, na experimentação das possibilidades da linguagem eletrônica e buscando exprimir, de outro, as inquietações mais agudas dos homens de nosso tempo. Ele executa no domínio da televisão uma função cultural de vanguarda, no sentido produtivo do termo: ampliar os horizontes, explorar novos caminhos, experimentar outras possibilidades de utilização, reverter a relação de autoridade entre produtor e consumidor, de modo a forçar um progresso da instituição convencional da TV, demasiado inibida pelo peso dos interesses que são nela colocados em jogo.

René Berger (*The New Television,* Cambridge, The MIT Press) imaginou uma classificação que pode ser valiosa para se avaliar os níveis de competência e radicalização da TV moderna. Distingue ele três grandes campos de experiência televisual: a macrotelevisão, a mesotelevisão e a microtelevisão. No primeiro caso, ele engloba todos os tipos de televisão voltados para as grandes massas, como é o caso das TVs comerciais e estatais que utilizam as ondas eletromagnéticas como meio de propagação. A sua estrutura de funcionamento é *one-way:* a cada emissor hegemônico estão conectados milhões de receptores isolados que não lhe podem responder de forma autônoma. O modelo intermediário é a mesotelevisão, identificada por Berger com a TV a cabo, mas poderia abarcar também todas as modalidades de televisões locais de pequeno alcance, voltadas para o diálogo com um público diferenciado. Nela, a relação é de interlocutores e não, como na macrotelevisão, de emissores e receptores.

Finalmente, a microtelevisão é a TV dos pequenos grupos qualitativos, reunidos por interesses comuns e que utilizam equipamentos portáteis de vídeo para produzir e difundir em circuito fechado. Abrange desde a atividade militante de grupos políticos ativos até os experimentos mais radicais de linguagem que estão sendo realizados na área da videoarte. Segundo Berger, os equipamentos leves e baratos podem gerar profundas modificações na estrutura da comunicação eletrônica, pois eles praticamente colocam a possibilidade de produzir e mostrar programas, senão nas mãos de todos, pelo menos nas mãos de uma quantidade de pessoas infinitamente maior do que aquela que monopoliza a macrotelevisão.

A história do vídeo enquanto evento cultural confunde-se, nos seus primórdios, com a história da videoarte. Antes mesmo que as primeiras unidades de gravadores portáteis fossem colocadas no mercado, alguns artistas mais inquietos já trabalhavam com a textura granulada da imagem eletrônica, modificando receptores convencionais de TV. Coube ao jovem coreano Nam June Paik, em 1963, a idéia de inverter os circuitos de um aparelho receptor para perturbar a constituição das imagens. Na ocasião, ele estudava música eletrônica com Stockhausen em Colônia. Esse fato levou-o a considerar que a imagem de TV, por sua constituição eletrônica, poderia ser manipulada musicalmente, da mesma forma como se trabalha o som na música eletrônica. Quando surgiram os primeiros gravadores da Sony, já havia artistas explorando a televisão como suporte da representação, de modo que a adesão à nova tecnologia foi inevitável. O vídeo-tape portátil era o meio adequado para todos aqueles que queriam experimentar a televisão fora dos estereótipos impostos pela indústria do entretenimento. Ele possibilitava uma autonomia de vôo e um esquema de produção desvinculado da tecnologia das emissoras.

Se pudéssemos resumir numa frase a tendência geral que a videoarte perseguiu na Europa e na América do Norte nos últimos vinte anos, diríamos que se trata, antes de mais nada, de distorcer e torturar até o limite da desintegração a velha imagem do sistema figurativo. De início, isso era obtido com o auxílio de ímãs circulares que alternavam a trajetória do feixe de elétrons nos aparelhos receptores, quebrando portanto a coerência figurativa das imagens (é a época dos *Distorted TV Sets* de Paik). Mais tarde, a partir de 1968, com a invenção dos sintetizadores de vídeo, tornou-se possível manipular diretamente os sinais de luminância, cor e saturação de que é construída a imagem na televisão, de modo que o artista podia "desenhar" diretamente na tela do monitor formas e cores inteiramente inéditas e até mesmo sem precisar do concurso de uma câmera. Essa linha diretriz coexistia, evidentemente, ao lado de outras, em que o suporte figurativo não era essencialmente atacado. Esse é o caso das *instalações*, em que se exploravam principalmente os paradoxos da tomada direta ao vivo, e as *performances*, em que o vídeo era trabalhado num espaço cênico semelhante ao do teatro.

Uma das grandes contradições da videoarte, entretanto, residiu no fato de sua produção, pela própria complexidade técnica, exigir o suporte de um instrumental eletrônico bastante sofisticado, bem como o domínio de um *know-how* especializadíssimo, que equivalia à capacidade técnica e intelectual para intervir na própria gênese do complexo imagem/som. Homens como Paik ou Emshwiller trabalharam em laboratórios eletrônicos de instituições universitárias ou estações experimentais de TV, com a ajuda de engenheiros e analistas de sistemas. Quer dizer: condições que só os países ricos e de avançada tecnologia podiam ostentar.

Quando a videoarte começou a acontecer nos países periféricos, no começo dos anos 70, é evidente que os modelos originais se mostraram impraticáveis, por carência de verba e engenho. Em nações pobres como o Brasil, o trabalho de experimentação e transgressão na área da televisão ficou restrito a indivíduos ou grupos alijados dos meios de produção e que, na melhor das hipóteses, só podiam contar com gravadores e câmeras de precária resolução. Essa nossa desvantagem no plano técnico e econômico, malgrado possa ter comprometido alguns trabalhos, contribuiu também para a nossa vantagem no plano cultural, pois forçou um desenvolvimento autônomo em relação aos modelos estrangeiros, além de orientar a nossa produção numa perspectiva mais própria da microtelevisão. Nem por isso se pode dizer que o conjunto dos trabalhos que aqui foram realizados seja menos inspirado ou menos contundente.

Primeiro Tempo: Os Pioneiros

As primeiras pessoas no Brasil que produziram trabalhos em vídeo fora do âmbito das emissoras comerciais não eram propriamente isso que hoje nós conhecemos como *videomakers*. Eram, na sua maioria, artistas plásticos preocupados com a busca de novos suportes para a produção. Durante os anos 70, várias correntes criativas tentaram romper com os esquemas estéticos e mercadológicos da pintura de cavalete, buscando materiais mais dinâmicos para dar forma às suas idéias plásticas. A tecnologia geradora de imagem técnica – fotografia, cinema, televisão – parecia oferecer o meio ideal para desenvolver experiências renovadoras e saltar fora do lugar-comum da pintura de óleo e pincel. O vídeo foi, portanto, integrado ao projeto de expansão das artes plásticas como um meio entre outros, mas no processo criativo do artista ele nunca chegou a ser encarado com exclusividade, nem chegou propriamente a gerar "obras" no sentido acabado do termo. Às vezes, era mesmo difícil compreender esses trabalhos fora do conjunto da obra do autor. Essa perspectiva só seria modificada muito mais tarde, quando novas gerações, mais comprometidas com a exploração exclusiva da imagem eletrônica, entrassem em cena.

Alguns desses pioneiros nem mesmo consideravam que faziam videoarte. Apesar dos esforços aglutinadores de Válter Zanini e Cacilda Teixeira da Costa, apesar das várias exposições e um encontro realizado em 1978, todos utilizando a denominação genérica de videoarte, a verdade é que os trabalhos não chegavam propriamente a constituir um movimento. As condições também eram as mais adversas. Quando Zanini convidou um grupo de artistas para participar de uma exposição internacional, houve uma corrida desesperada, porque ninguém naquela época tinha equipamentos. Os poucos trabalhos realizados não encontravam local para exibição, a imprensa os ignorava sistematicamente e não havia instituição que bancasse os custos. Se considerarmos que, nos Estados Unidos, os videoartistas já contavam, nessa época, com galerias especializadas, laboratórios em universidades, salas exclusivas em museus e um programa numa emissora de Boston, pode-se ter uma idéia das nossas dificuldades.

Não há indicações seguras sobre qual teria sido o primeiro trabalho criativo realizado com a mídia eletrônica no Brasil. Existem referências de que Gabriel Borba teria realizado um *tape* pioneiro no início dos anos 70, mas o trabalho se perdeu. Antônio Dias, dentro de sua série *The Ilustration of Art*, fez *Music Piece* em 1971 e *Two Musical Models on the Use of Multimedia* em 1974; mas ele estava em Milão e lá as condições eram outras. O único fato concreto é que os artistas que aderiram ao vídeo no Brasil aglutinaram-se em dois grandes núcleos: de um lado, os cariocas, ligados ao Museu de Arte Moderna do Rio; de outro, os paulistas, ligados ao Museu de Arte Contemporânea de São Paulo (houve também a intervenção isolada de Paulo Bruscky, do Recife). Os cariocas saíram na frente, pois conseguiram um equipamento emprestado, enquanto os paulistas, à exceção de José Roberto Aguilar, só começaram a produzir depois que o MAC comprou um conjunto Sony de meia polegada. De qualquer forma, em relação aos países capitalistas avançados, começamos muito tarde.

Do lado carioca, predominaram experiências de tipo conceitual, sem muita preocupação com a forma. O vídeo era então encarado como um instrumento de registro do gesto performático do artista, mas não se buscava ainda explorar as possibilidades de sua linguagem própria. Os recursos eram mínimos e praticamente não havia possibilidade de edição. Como conseqüência, editava-se diretamente na câmera durante a gravação, ou então – o que era mais comum – construía-se o trabalho num único plano contínuo, tomado em tempo real. Com essa técnica, Letícia Parente registrou a própria planta do pé em *close up*, enquanto nela bordava as palavras "Made in Brazil" (*Marca Registrada*, 1978) e Miriam Danowisk recortava bonequinhos com folhas de jornal, para depois mostrá-los à câmera (*A Procura do Recorte*, 1977). Na mesma linha, poderiam ser arrolados *Versus* (1974) de Ivens Machado, *Estômago Embrulhado* (1975) de Paulo Herkenhoff, *De Aflictis* (1978) e *Nordeste* (1980) de Letícia Parente. *Chuva* (1980) de Fernando Cocchiarale e *Vídeo Dolorido* (1982), vídeo-instalação de Regina Váter.

Um dos trabalhos mais provocantes desse período é o de Sônia Andrade. A artista carioca realizou, desde 1974, quase uma dezena de experimentos de curta duração que podem ser considerados os mais maduros de sua geração. Ora temos o rosto da artista totalmente deformado por fios de *nylon*, ora ela se impõe pequenas mutilações, tosando os cabelos do corpo com uma tesoura, ora ainda ela prende a própria mão numa mesa com pregos e fios. São trabalhos de uma auto-violência latente, meio real e meio fictícia, através dos quais Sônia discorre sobre o estado de semi-loucura que caracteriza o ato criador. Um outro aspecto do trabalho da artista é a intervenção crítica sobre a própria TV, abrangendo tanto os seus aspectos estruturais quanto ideológicos. *A Morte do Horror* (1981) é uma reflexão metalingüística sobre o próprio ato de enunciação televisual. Nos seus sete episódios brevíssimos, que mais parecem haicais audiovisuais, a tela do monitor nos mostra, antes de mais nada, a moldura de uma outra tela de TV dentro da primeira. Ao longo desses episódios, a tela vai sendo sucessivamente esvaziada de seus conteúdos habituais, até não restar senão uma infinidade de aparelhos receptores colocados um dentro do outro, como nas construções em abismo da heráldica.

Vale mencionar também os trabalhos de Ana Bela Geiger na área da videoarte. Desde as séries *Declaração em Retrato* e *Passagens* (ambas de 1975) até a vídeo-instalação realizada para a XVI Bienal de São Paulo (1981), a artista vem estendendo para o vídeo experiências iniciadas antes no âmbito das artes plásticas. Seus *Mapas Elementares*, por exemplo, série iniciada em 1976, são jogos irônicos envolvendo mapas da América Latina ou do Brasil, aberturas de telejornais da Rede Globo (onde se explora a plasticidade do mapa-múndi), objetos lembrando formas dos países e os próprios trabalhos da artista sobre o assunto (suas famosas fatias de pão com falhas no miolo imitando o mapa do Brasil). Nesses jogos de fundo conceitual, Ana Bela procura colocar em evidência a maneira como são manipulados os signos ideológicos.

No lado paulista, é preciso ressaltar, antes de mais nada, o pioneirismo de José Roberto Aguilar, que trocou, em meados dos anos 70, a pintura pelo vídeo, como trocaria também, quase uma década depois, o vídeo pela música *pop*. Os primeiros trabalhos de Aguilar, realizados parte no Brasil e parte nos Estados Unidos, seguem a linha conceitual dos *tapes* cariocas, com planos longos e "performáticos", editados com corte mecânico e fita adesiva. Dessa primeira fase, *Where is South América?* (1975) é o exemplo mais ilustrativo: um personagem busca a América Latina em Nova York e a acaba encontrando no Rio de Janeiro: uma América marginal, africana, antropofágica. Posteriormente, o trabalho de Aguilar foi se tornando mais complexo e voltado para a exploração dos recursos próprios do vídeo. *Divina Comédia Brasileira* e *Sonho e Contra-sonho de uma Cidade* (ambos de 1981) são trabalhos estruturados como concerto de videoarte, em que se utilizam dois gravadores e dois monitores sincronizados em contraponto, "dialogando" entre si sobre o sentido da arte de ontem e de hoje. Infelizmente, porém, a inexistência de perspectivas para a videoarte no Brasil acabou forçando Aguilar a abandonar esses experimentos que prometiam ser dos mais férteis.

Malgrado tenham começado mais tarde, os paulistas puderam contar com recursos técnicos um pouco melhores que os cariocas. Além de dispor o MAC de equipamento próprio para uso dos videoartistas, contribuiu também para isso a presença marcante de Roberto Sandoval. Através de sua escola de arte (Aster) e mais tarde de sua produtora de vídeo (Cockpit), Sandoval converteu-se no principal elemento aglutinador, oferecendo o suporte material necessário para uma produção mais cuidada. Outros, como é o caso de Artur Matuck, realizaram a maior parte de seus trabalhos nos Estados Unidos, com acesso a uma tecnologia bastante sofisticada. Uns terceiros ainda, como é o caso de Otávio Donasci, adquiriram, à própria custa e a duras penas, um conjunto completo para gravação e edição, a fim de poderem gozar de plena autonomia de trabalho.

Justamente por dispor de recursos próprios e trabalhar profissionalmente na área do vídeo, Roberto Sandoval tem um repertório de *tapes* dos mais amplos. E o fato de dispor de uma ilha de edição permitiu-lhe desenvolver uma técnica de montagem acelerada, com planos brevíssimos cortados em ritmo sincopado, técnica essa que acabou por identificar o seu estilo particular. Em *Aleatório* (1982), por exemplo, Sandoval edita em paralelo o ritual de estrangulamento de uma galinha e a banalidade de uma cena de cabeleireiro, acentuando a ironia da associação através do ritmo frenético da edição. Em *Matemágico* (1983), ele toma a imagem de um artista de circo fazendo evoluções com uma tira de papel colorido e desmonta os movimentos originais através do corte rápido, de modo a fazer o artista desenhar no espaço coreografias inéditas. Um outro dado a respeito do trabalho de Sandoval é a inovação no enquadramento dos rostos, através do uso de detalhes muito próximos, como se pode ver, por exemplo, em *Foram Sete Quedas São* (1982) e *Variações no Plano* (1983).

Do grupo ligado a Sandoval (Júlio Plaza, Sônia Fontanezi, Mary Dritschel e outros), quem produziu um dos trabalhos mais originais foi Regina Silveira, autora de *tapes* rigorosos como uma equação matemática, como é o caso de *Sobre a Mão* (1980), *A Arte de Desenhar* (1980) e *Morfas* (1981). Este último, particularmente, seu trabalho mais acabado, dá continuidade à desmontagem dos códigos convencionais de representação, que a artista vem realizando através de suas obras pictóricas nos últimos anos. *Morfas* é uma sucessão de panorâmicas sobre objetos banais da vida caseira (escova de dentes, sabonetes, pentes, utensílios de cozinha, etc.), apresentadas de tal forma que o recorte extremamente fechado do quadro e a proximidade exagerada da câmera lhes dão uma fisionomia estranha, como se os objetos fossem entidades estranhas.

Curiosamente, a linha majoritária da videoarte no exterior – a sintetização de imagens informais ou abstratas – tornou-se minoritária no Brasil. A razão é evidente: a criação de imagens fora dos padrões figurativos exige o concurso de sintetizadores de vídeo, colorizadores, processadores digitais, mesas de efeitos e toda uma parafernália eletrônica que nunca existiu por aqui, a não ser nos estúdios fechados das grandes redes de televisão (vide o exemplo de Hans Donner na Globo). Apesar disso, alguns dos nossos videoartistas conseguiram sintetizar imagens abstratas sem qualquer suporte tecnológico e trabalhando sozinhos em condições artesanais. Toda a série *Segmentos*, compreendendo nove trabalhos realizados por Roberto Sandoval em 1981, é constituída por linhas e manchas informais animadas pela montagem acelerada e sincronizadas com a pista de som. Nas mesmas condições, Otávio Donasci realizou três peças bastante inspiradas (*Meditação no Espaço, Projeções da Memória* e *Figuras de Umbral*, todas de 1981), utilizando apenas efeitos de *feedback* em monitores transformados e vários processos de laboratorização de imagens convencionais. Essas talvez sejam as únicas obras inteiramente antifigurativas produzidas pela videoarte nativa e afinadas com o processo desconstrutivo de suas similares estrangeiras.

A importância de Donasci no cenário do vídeo nacional está, entretanto, ligada ao seu projeto de videoteatro. Para a realização desse projeto, Donasci constrói criaturas híbridas, metade humanas, metade eletrônicas, que circulam pela cena teatral arrastando seus cabos e atormentando os espectadores. Na verdade, são apenas monitores de TV colocados, através de armações de ferro, em cima de atores escondidos sob mantos pretos. Cada tela de monitor, ligada por cabos a um gravador de vídeo (um dos protótipos já inclui a emissão sem fio), nos mostra a imagem de um rosto recitando monólogos ou dialogando com outra vídeo-criatura no palco. A proposta do videoteatro de Donasci é simples e precisa. Trata-se de ampliar os recursos expressivos do ator com a incorporação da linguagem dos meios áudio-visuais. Ao mesmo tempo, o vídeo ganha a dimensão cênica do teatro e pode relacionar-se fisicamente com a platéia. Em síntese, o videoteatro faz uma espécie de "costura" eletrônica de vários recursos simbólicos, criando uma linguagem híbrida, que une as formas mais antigas de expressão da humanidade com as mais recentes.

Finalmente, para completar o lado paulista, é preciso lembrar também a contribuição importante de Artur Matuck que, embora tenha realizado a maior parte de sua obra nos Estados Unidos, exprime algumas inquietações que nos são próprias. Ao todo, o trabalho de Matuck compreende cerca de uma dezena de *tapes*, dos quais uma parte significativa tem inspiração ecológica. *Emanatio-Profanatio* (1977), por exemplo, trata do sacrifício de vinte e dois bezerros por um fazendeiro do estado de Wisconsin movido por razões políticas, enquanto *Brahminicide* (1977) mostra o processo tecnológico de matança de porcos na cidade de Iowa. Numa perspectiva mais politizada, Matuck fez também *Maurício Prisoner* (1981), reconstrução fictícia do lento processo de enlouquecimento de um militante tupamaro numa prisão uruguaia. Para a realização desse trabalho, Matuck utilizou apenas um ator, um pequeno quarto com uma escada e os objetos comuns ali encontrados. As imagens do mundo exterior vão se transfigurando lentamente em projeções interiores da fantasia alucinada do prisioneiro. Ainda em 1981, Matuck fez *Ataris Vort in the Planet Megga* (primeira versão; haveria ainda uma segunda, preparada para a Bienal de São Paulo em 1983), um enredo experimental de ficção científica, onde o autor usa e abusa fartamente dos efeitos eletrônicos colocados à sua disposição pela Universidade de San Diego.

Essas fitas todas, que fim levaram? A verdade é que pouca gente as viu. Salvo as bienais, as sessões de exibição eram tão fechadas que poderiam ser confundidas com um movimento clandestino. Certamente, a conjuntura política jogou um papel decisivo nesse confinamento voluntário. Mas os artistas tiveram também a sua dose de responsabilidade: eles próprios escondiam seus *tapes* como uma jóia preciosa demais para submeter à profanação pública. Raros foram os que batalharam condições mais favoráveis. Talvez, no fundo, quisessem preservar o charme de uma televisão secreta, curtida por uma seleta nata de aficcionados.

O certo é que a videoarte não pôde impedir o confinamento num gueto, a atitude *underground* típica dos grupos segregados e, enfim, o beco sem saída. A falta de um público com quem se comunicar permitiu proliferar o discurso esotérico, de decifração restrita a uma reduzida casta de iniciados. Comparando com os primeiros trabalhos de Nam June Paik, cheios de humor, agradáveis de se ver e de uma simplicidade digna de um zen-budista, a videoarte ficou séria demais. Seu projeto desconstrutivo ultra-radical, sua adesão inflexível ao anti-espetáculo produziram como efeito inevitável a falta de interlocutores.

Segundo Tempo: A Transição

No começo dos anos 80, uma nova vaga de realizadores viria se posicionar claramente contra aquela produção subterrânea e invisível. Embora também marginalizados, sem mercado para escoar seus produtos, sem sustentação financeira de qualquer espécie, essa nova geração era suficientemente politizada para abrir caminho e reivindicar terreno. Eram práticos também: sabiam conciliar o trabalho de renovação cultural com a adesão às regras do mercado, em geral apelando para a publicidade a fim de sobreviver. Com sua entrada barulhenta em cena, o vídeo começa a sair do limbo e conquistar seu primeiro público. Surgem os festivais de vídeo, aparecem timidamente as primeiras salas de exibição e se começam a esboçar estratégias para perfurar o feudo das redes oficiais. Mesmo não conseguindo de imediato se impor perante um mercado televisual monopolizado pelas redes, o surgimento dessa nova geração teve o mérito de colocar em discussão a velha ordem das comunicações: o sistema autoritário de concessões, a centralização de interesses e o direcionamento ideológico da indústria televisual.

Muito sintomaticamente, essa outra vaga se opõe à videoarte pela tendência ao documentário. Não o documentário vulgar, de que o telejornalismo das redes comerciais é o protótipo mais exato. Nos seus trabalhos mais conseqüentes, a nova geração busca quebrar a relação de autoridade que existe entre o documentarista e o seu objeto de pesquisa, evitando sobrepor às imagens deste último um pretenso discurso de verdade e criando dispositivos para que o enfocado possa responder ele próprio, com autonomia, às indagações do primeiro. Trata-se, fundamentalmente, de inverter o esquema viciado das reportagens das redes comerciais, que reduzem a diversidade ideológica, cultural, lingüística, étnica e religiosa do povo que habita o país a um discurso integrador e normalizador, o discurso da instituição televisual, que é também o da ordem constituída.

Vejamos o exemplo de Andrea Tonacci, que vem realizando, desde 1977, um trabalho meticuloso, de interesse antropológico e político, sobre as várias nações indígenas do país. Seu trabalho mais acabado é *Os Araras*, cujas duas partes iniciais, realizadas entre 1980 e 1981, foram montadas para uma apresentação na TV Bandeirantes. O trabalho é uma extensa documentação de todo o processo de "atração" de um grupo de índios do Pará que praticamente nunca teve contato com a nossa civilização e que, entretanto, ocupa uma área de terras já cortada ao meio pela Transamazônica. Tonacci permaneceu mais de um ano na região e acompanhou com sua câmera a expedição encarregada do contato, tendo colhido ainda um imenso material que abrange toda a complexa superposição de interesses na região entre Altamira e Itaituba.

Mas o que nos incomoda nesse trabalho sobre os primeiros contatos com uma tribo desconhecida é que os índios, eles próprios, não aparecem nunca, a não ser no curto epílogo que fecha a segunda parte. Eles estão presentes o tempo todo através das marcas que deixam na paisagem, mas permanecem invisíveis até a terceira parte inacabada. Através desse procedimento, Tonacci frustra as expectativas tradicionais do público. Antes de ser um documentário sobre os araras, entendido como tal um registro de verniz etnológico que apresente o povo estranho com seus costumes exóticos e sobre os quais nos debruçamos e cultivamos o nosso saber, *Os Araras* é uma investigação sobre nós mesmos, sobre os motivos confessos e inconfessados que nos induzem ao contato com o outro, na tentativa senão de colonizá-lo abertamente, pelo menos de enquadrá-lo em nosso domínio, dobrá-lo aos ditames de nossa civilização.

Num outro diapasão, temos o exemplo eloqüente que nos é dado pela dupla de documentaristas Norma Bahia Pontes e Rita Moreira, que realizou, desde 1972, um total de 14 trabalhos. A maior parte deles foi tomada durante o exílio voluntário na cidade de Nova York e se concentra em três áreas de interesse: o feminismo, a ecologia e os movimentos de minoria. De volta ao Brasil, Rita dirigiu alguns *tapes* em parceria com Maria Luísa Leal, dos quais o mais impressivo é *A Dama do Pacaembu*, uma entrevista com uma indigente que se diz doutora em psicologia e que discorre teses desconcertantes sobre economia, moral e televisão.

Mas o melhor do grupo está num *tape* denominado *She Has a Beard* (Ela Tem uma Barba), cuja protagonista, a novaiorquina Forest Hope, num ato de inconformismo contra os estereótipos da beleza feminina, rejeita a depilação e deixa sua barba crescer normalmente. Só que ao invés de se colocar na frente da câmera para se tornar o *objeto* constrangido do olhar inquisitório de realizadoras e espectadores, Forest passa para trás das câmeras e, de microfone em punho, se põe ela própria a interrogar as mulheres sobre as razões que as levam a reproduzir o padrão de beleza convencional. Não se trata mais de um vídeo "sobre" a mulher barbuda, condição que marca a nossa distância e nos mantém imunes ao contágio do objeto exótico. Aqui, numa virada perturbadora, o objeto da investigação se torna também o sujeito da investigação, impedindo qualquer abordagem ridicularizadora.

Uma das influências mais marcantes sobre essa geração de *videomakers* conhecida como os *independentes* foi, sem dúvida, a de Gláuber Rocha. O controvertido cineasta baiano havia realizado uma intervenção demolidora no programa "Abertura" da extinta TV Tupi, inaugurando um gênero de apresentação bastante provocador, isento de formalidades, falando alto, a câmera enquadrando-lhe o rosto em *closes* muito próximos, como se lhe fosse tocar o nariz. Essa intervenção ruidosa não fez escola na TV comercial ou estatal, mas tornou-se um ponto de referência obrigatório de toda a geração dos independentes.

Um de seus seguidores mais entusiasmados foi o amazonense Aurélio Michiles, que chegou a realizar inclusive um registro de sua passagem por Manaus num *tape* glauberiano até as vísceras, denominado *Via Láctea Dialética* (1981). O trabalho é uma colagem de recortes de jornais, cartões postais, falas de atores manauaras, depoimentos de intelectuais e de líderes indígenas da tribo Saterê-Mauê. Tomando como tema a tentativa glauberiana de realizar um média-metragem em Manaus, sob o nome de *Amazonas, Amazonas*, Aurélio constrói um painel esfuziante e caleidoscópico, com o qual inaugura uma espécie de estilo amazonense de televisão, que ele próprio depois desenvolveu em quase uma dezena de obras.

Glauberiano mesmo é o grupo paulista TVDO. Essa gangue indisciplinada despontou no início dos anos 80 com propostas renovadoras de indiscutível impacto. Ela já era conhecida pela criação do arrojado "Mocidade Independente", de efêmera duração na TV Bandeirantes, além da concepção do "Noventa Minutos" no mesmo canal. Suas "reportagens", se assim podemos dizer, ao invés de centrar fogo no evento propriamente dito, como faria qualquer emissora convencional de TV, desviam-se muito mais para situações marginais da periferia do evento: cambistas, vendedores, policiais, cantadores, a massa anônima em geral. O espetáculo é, por assim dizer, descentralizado: o *show* do Kiss é substituído pelo *show* de seus fãs roqueiros (*Quem Kiss Teve*, 1983), o Festival de Gramado pelos seus personagens marginais (Zé Celso e Bressane em *Frau*, 1983), o confronto entre São Paulo e Coríntians pela festa dos torcedores (*Teleshow de Bola*, 1983). Estimulado por uma transfusão de sangue glauberiano, o apresentador Tadeu Jungle fulmina seus entrevistados com perguntas à queima-roupa e estimula as mais inesperadas performances diante das câmeras. Recentemente, com o lançamento de *Ivald Granato in Performance* (1984), uma nova proposta está sendo experimentada pela gangue, de inserção da arte de vanguarda na televisão, sem diluir a contundência daquela, nem perder a perspectiva de massa desta última.

Para encerrar o time dos glauberianos, falta falar da presença instigante no cenário dos independentes do grupo Uzyna, reunindo remanescentes do antigo Oficina. O vídeo está integrado no projeto do Uzyna como uma espécie de máquina de memória do grupo, permitindo registrar a sua acidentada história num diário eletrônico, e como instrumento direto de luta cultural, através do qual o grupo perfura os obstáculos econômicos e políticos que comprometem a sua existência. Bastante sintomático nesse sentido é o trabalho denominado *Abra a Jaula* (1983), uma argumentação audiovisual feita especialmente para a sessão do Conselho Superior de Censura que decidiria sobre a liberação do filme *O Rei da Vela*. Nesse *tape*, os realizadores contrapõem os argumentos dos censores (gravados em sessão anterior) aos de personalidades importantes da vida cultural do país e também aos seus próprios argumentos. Desarmada, a Comissão de Censura teve de liberar o filme.

O Uzyna tem sabido usar como poucos a agilidade e a versatilidade do vídeo como uma espécie de caderneta de anotações, inventando um estilo leve e descontraído. Mas falta ao grupo, como condição para socializar o seu discurso, a competência para sair do casulo em que ele próprio se enclausurou. Hoje que os independentes lutam para sair do gueto, o pessoal do Uzyna, comprometido em fazer de sua sobrevivência a sua própria finalidade, personifica melhor que ninguém a mentalidade do gueto, incapaz de saltar para fora do próprio umbigo.

Finalmente, para personificar a expressão mais acabada do espírito dos independentes, temos a presença dos jovens do Olhar Eletrônico, que não demoraram a se impor como a força criativa mais promissora da mídia eletrônica. O Olhar começou fazendo *tapes* brevíssimos, de três ou quatro minutos, nos quais experimentava uma linguagem de extrema concentração e explorava de forma inventiva aquilo que os americanos chamam de *machine-gun cut* (corte-metralhadora). Assim o grupo fez *Tempos* (1982), um pisca-pisca eletrônico de inspiração mística, editado praticamente no quadro-a-quadro; *Marli Normal* (1983), o dia de uma escriturária, narrado através de planos rapidíssimos em ritmos alternados; e *Morte* (1983), uma enquete bem-humorada sobre o tema da morte, com o discurso dos entrevistados truncado e trabalhado numa montagem dinâmica. Mesmo em trabalhos mais longos, esse gosto pela exploração das possibilidades microestruturais do vídeo é bastante sensível. Em *S.A.M.* (1982), por exemplo, chega-se ao limite da introspecção metalingüística com a revelação dos *pixels* (retículas de cores que constituem a imagem) e, em *Garotos do Subúrbio* (1982), o discurso dos *punks* é desmontado e desarticulado às vezes até o nível do fonema. Se bem que, no último caso, muitos criticaram o fato do discurso dos *punks* ter sido manipulado, em troca de uma visão mais complacente da juventude pequeno-burguesa.

Um dos trabalhos que melhor definem o processo inventado pelos jovens do Olhar é um pequeno experimento de três minutos chamado *Brasília* (1983). As imagens que preenchem esse estranho "documentário" são paisagens estereotipadas da cidade de onde emana o arbítrio político, com a diferença que sua edição está arruinada por contínuos rompimentos e vazios estruturais, deixando a tela branca várias vezes e durante muitos segundos. Aqui, não estamos mais diante de um documentário inocente, em que o contato do realizador com a cidade dos tecnocratas se dá sob a perspectiva ingênua do olho "objetivo" da câmera. Pelo contrário, o realizador interfere sobre as tomadas, corroendo os seus arquétipos plásticos, de modo que, se pudéssemos resumir numa frase o processo desconstrutivo de *Brasília*, diríamos que se trata de um desmantelamento da maneira como as mídias dominantes exibem a capital federal.

Vale notar, por fim, que uma das áreas mais profícuas de exploração do vídeo no exterior – o trabalho militante – permanece aqui ainda desarticulada e sem orientação definida. Malgrado não tenham sido poucas as tentativas nesse sentido, nenhuma delas, entretanto, conseguiu avançar além do simples registro de movimentos populares. A inserção democrática do meio na vida comunitária é, por enquanto, uma promessa que só vai vingar quando os seus praticantes descobrirem formas criativas de diálogo com a comunidade, superando os modelos autoritários veiculados pelas próprias redes comerciais.

Terceiro Tempo: A Saída do Gueto

O terceiro tempo ainda ficará para ser escrito, pois mal acabamos de entrar nele. Tempo de maturação, ele se caracteriza, antes de mais nada, pela profissionalização da ala mais criativa dos *videomakers*. Muitos grupos hoje sobrevivem exclusivamente do seu trabalho com o vídeo, atendendo a uma faixa de mercado que abrange comerciais, institucionais e programas de treinamento, mas reservando também um tempo para uma produção mais qualitativa. Alguns, mais ousados, conseguiram ocupar um espaço dentro da indústria do *broadcasting* nacional. É o caso da produtora Manduri, que teve seus "Limite do Homem" e "Barra Pesada" levados ao ar regularmente pela TV Record; a Intervídeo, que produziu "Conexão Internacional", "Diálogo", "Os Brasileiros" e "Xingu" para a Rede Manchete; a Artvídeo, cuja série "Joana", depois de vários problemas, acabou sendo comprada pelo SBT; a Videoverso, cujo estimulante "Radar" foi ao ar diariamente na TV Gazeta de São Paulo; TVDO, que sem ser propriamente uma empresa, teve seu nome ligado a programas como "Mocidade Independente", "Noventa Minutos" (ambos na Rede Bandeirantes), "A Fábrica do Som", "Avesso" (ambos na TV Cultura de São Paulo) e "Além da Realidade" (na Gazeta); a Abril Vídeo, que além de manter uma extensa programação diária na

Gazeta, construiu uma estrutura empresarial *sui generis*, que poderá ser útil no futuro, quando outras modalidades de distribuição (cabo, assinatura, salas de exibição) forem implantadas no país.

Nessa onda toda de grupos emergentes, é preciso, naturalmente, fazer algumas distinções. Alguns deles têm perspectivas puramente comerciais e seu objetivo maior é instalar-se de vez nas redes implantadas. Para isso, nivelam a sua produção de acordo com os cânones das emissoras comerciais, quando não copiam diretamente o modelo convencional. Sua "independência" é mais técnica do que programática, pois não passa de uma contingência do pequeno capital investido. Do ponto de vista estético-cultural, seus produtos não acrescentam qualquer contribuição aos esquemas vigentes. Outros grupos, porém, mesmo jogando as regras do mercado, não abrem mão das propostas inovadoras em nenhuma circunstância, pois são elas que justificam a sua existência.

Dos grupos que se profissionalizaram, talvez se possa dizer que a experiência mais fértil seja a do Olhar Eletrônico, que introduziu na televisão um estilo jovem com alta dose de criatividade. Desde que estrearam na TV Gazeta em 1983, levados pelo produtor Goulart de Andrade, passando pelas suas intervenções em *23ª Hora* e *Olho Mágico*, até seu programa exclusivo "Crig-Rá", os jovens do Olhar não param de sacudir o bolor da TV com soluções simples e renovadoras. Uma de suas criações mais festejadas é a figura do anti-repórter trapalhão e incômodo Ernesto Varela (Marcelo Tass), que descongelou as formalidades do telejornalismo convencional. A cobertura realizada por Varela da votação pelo Congresso Nacional da emenda que propunha o restabelecimento das eleições diretas no Brasil, em abril de 1984, já é um clássico da nova televisão.

Não foi fácil (e continua não sendo) cavar uma brecha nas redes oficiais. Inicialmente, os grupos independentes tiveram de enfrentar o boicote das concessionárias de canais (sobretudo da Rede Globo), que temiam a concorrência dessas empresas de pequeno capital mas de grande talento. Ademais, o Brasil nunca teve, ao contrário de outros países, uma legislação que limitasse a autonomia das redes oficiais, obrigando-as a contratar produções de terceiros, como forma de garantir a diversidade de enfoques. Por fim, como o monopólio das concessões pertenceu ao Estado durante todo esse tempo, os canais foram distribuídos aos apadrinhados do regime militar, empresários por natureza avessos à inovação e à intervenção crítica. Para vencer essa resistência, os independentes se têm valido de todos os expedientes, inclusive os de ordem política.

As emissões através de ondas eletromagnéticas não constituem, todavia, a única ou a melhor perspectiva para os *videomakers* mais inquietos. Outras modalidades de produção e distribuição devem ser experimentadas daqui para a frente, com vistas a construir um sistema alternativo de TV que se afine melhor com as propostas diferenciadas dos independentes. Desde a TV ambulante, espécie de trio elétrico televisual (experiência realizada em Campina Grande, Paraíba), passando pelas várias possibilidades de TV comunitária (pelo ar ou em circuito fechado), até o projeto mais ambicioso de uma televisão qualitativa, mantida através da subscrição dos espectadores e que utilize os canais UHF para difusão, as perspectivas que se abrem para o vídeo são cada vez mais amplas. Resta saber quem serão os pioneiros desse novo tempo e que surpresas eles nos preparam.

Sobre os Autores

FERNANDO BARBOSA LIMA é jornalista, carioca de 51 anos, filho de Barbosa Lima Sobrinho e de Maria José Pereira Barbosa Lima. Começou a trabalhar, aos 17 anos, como desenhista na Standard Propaganda do Rio. Aos 18 anos, dirigiu a sucursal do jornal *O Tempo*, de São Paulo. Dois anos depois, montou a Squire Propaganda. Começou a produzir e dirigir programas de televisão, na antiga TV Rio, aos 22 anos. Em 1962 passou a dirigir o jornalismo da Rede Excelsior de Televisão, lançando programas como "Jornal da Cidade", "Do Ponto de Vista Nacional" e o "Jornal de Vanguarda" que, até hoje, é o programa jornalístico mais premiado da televisão brasileira.

Tanto na TV Rio como na Excelsior, ele levou para a TV nomes do jornalismo como Armando Nogueira, Borjalo, Heron Domingues, Ibrahim Sued, Sergio Porto, Millor Fernandes, Appe, Villas-Boas Corrêa, Tarcísio Hollanda, Newton Carlos, Cid Moreira, Célio Moreira e muitos outros. Com o Ato Institucional nº 5 resolveu terminar, de uma só vez, com o Jornal de Vanguarda e voltar para a publicidade. Com a posse do presidente Figueiredo, com a promessa da democracia, lançou pela Rede Tupi, para todo o Brasil, o programa "Abertura". Esse programa marcou a volta do jornalismo político à televisão. Entrevistou os principais exilados, discutiu política com o ministro da Justiça, começou a ouvir a oposição e abriu novos caminhos para uma televisão mais livre e mais franca.

Foi Superintendente de Produção e Programação da TV Educativa, onde lançou 33 novos programas. Na Rede

Bandeirantes, criou e dirigiu o programa "Canal Livre". É sócio da Intervídeo (produtora independente) junto com Roberto D'Ávila e Walter Salles Jr. A Intervídeo, na Rede Manchete, vem realizando os seguintes programas: "Os Brasileiros", "Conexão Internacional", "Diálogo", "Persona", "Programa de Domingo" e "Xingu". Atualmente, é Diretor do Centro Brasileiro de Televisão Educativa Gilson Amado-RJ.

GABRIEL PRIOLLI NETTO, paulista, 32 anos, é jornalista formado pela Escola de Comunicações e Artes (ECA) da Universidade de São Paulo (USP). Ex-publicitário, começou a carreira jornalística na TV Cultura, onde foi repórter, editor, produtor e apresentador de programas. Na Rede Bandeirantes, produziu os programas "Bastidores", "Nova Mulher", "Canal Livre" e "Clodovil", além de diversos eventos especiais. Atuando na imprensa escrita, foi crítico de televisão do jornal *Folha de S. Paulo* e editor de TV na revista *Veja*. Atualmente, é professor do Departamento de Jornalismo da Pontifícia Universidade Católica (PUC) de São Paulo e assessor de imprensa do "Festival dos Festivais" da Rede Globo.

ARLINDO MACHADO, paulista, 36 anos, é graduado em Língua e Literatura Russa pela USP-SP e pós-graduado em comunicação e Semiótica pela PUC-SP. Trabalhou no cinema como realizador de curta-metragens em 16 e 35mm e como co-editor da revista *Cine-Olho*. Tem dois livros publicados, *Eisenstein: geometria do êxtase* e *A ilusão especular: introdução à fotografia*, ambos pela Editora Brasiliense. Atualmente, leciona no Departamento de Arte da PUC-SP, é crítico de fotografia do jornal *Folha de S. Paulo* e colabora com diversos artigos sobre vídeo e televisão para jornais e revistas.

Nesta mesma coleção...

BRASIL OS ANOS DE AUTORITARISMO análise · balanço · perspectivas

O TEATRO SOB PRESSÃO

Uma Frente de Resistência

Yan Michalski

Os caminhos pelos quais o teatro brasileiro reagiu contra as pressões inéditas que lhe foram impostas pelo regime autoritário que dominou o país de 1964 a 1984. Fazendo um registro dos principais movimentos, tendências, grupos, textos e espetáculos surgidos ano após ano, e colocando-os contra o pano de fundo dos condicionamentos políticos existentes na época, o ensaio descreve, por um lado, as características de frente de resistência contra o arbítrio que o teatro assumiu, com coragem e dignidade; e, por outro, detém-se em estudar a generosa efervescência artística com que ele soube superar os obstáculos que restringiam drasticamente a sua liberdade de expressão. Na sua parte final, o livro ocupa-se do até certo ponto paradoxal decréscimo da vitalidade estética do teatro a partir do momento em que a "abertura" política passou a restituir-lhe progressivamente essa liberdade.

Nesta mesma coleção...

BRASIL OS ANOS DE AUTORITARISMO
análise · balanço · perspectivas

LITERATURA E VIDA LITERÁRIA

Polêmicas, diários & retratos

Flora Sussekind

Um balanço crítico do projeto literário, da ficção e da poesia produzidas no Brasil durante os últimos 20 anos. Este balanço se inicia justamente com um breve histórico das estratégias culturais dos governos militares, onde se percebe que houve um esperto jogo com supressões e cooptações, censura e favor. E que a hipótese repressiva (a censura) não pode ser a única para se entender o predomínio da *polêmica* (vide "nacionalistas x tropicalistas" em fins dos anos 60, "a querela estruturalista" em 75 ou a "questão das patrulhas ideológicas" em fins da década passada) nas discussões intelectuais; o privilégio de um *realismo de dupla face* (mágico ou naturalista) na prosa de ficção e a *paixão expressiva* da poesia do período. É colocando em contraste essas trilhas privilegiadas (a literatura do eu, a obsessão pelo retrato, a polêmica) e outras menos percorridas que se procura, ao mesmo tempo em que se define o projeto estético dominante, perceber alguns dos caminhos mais críticos, às vezes deixados à margem pela literatura brasileira recente. E que parecem, por vezes, apontar no sentido de um outro projeto estético, mais próximo da ironia que da alegoria, do experimentalismo que do retrato. Projeto que parece se esboçar hoje, não sem certa reação, em parte da atual voga ensaística, na preocupação com uma poesia mais reflexiva e com uma literatura menos *figurada* e mais *ficcional*.

30—

Nesta mesma coleção...

BRASIL OS ANOS DE AUTORITARISMO
análise · balanço · perspectivas

A DEFORMAÇÃO DA HISTÓRIA
ou Para Não Esquecer

José Luiz Werneck da Silva

Pode o historiador recuperar, ainda que parcialmente, nestes tempos ambíguos da Nova República, as múltiplas memórias coletivas da resistência ao autoritarismo que fluiram ao longo do que o historiador gaúcho Voltaire Schilling denominou de *vintena infame*? Já foi devidamente denunciada a forma sistemática e consciente, através da qual o regime autoritário – contando inclusive com o apoio de amplos setores da sociedade civil – procurou deformar a história, tirando-lhe, por razões de Estado, qualquer sentido crítico e transformador? Motivado exatamente por estas e outras indagações, o autor buscou reconstituir parcelas substanciais da memória da intelectualidade carioca, da memória dos militantes de esquerda (no que contou com a colaboração de Eduardo N. Stotz), da memória dos professores e dos estudantes, especialmente de história, e da memória dos historiadores cassados, estabelecendo ainda, como necessário contraponto, os fundamentos da memória dos historiadores das elites dominantes. Utilizando o depoimento, via de regra repassado de emoção, de historiadores de várias regiões do país, o autor, em linguagem simples e evitando maniqueísmos, se engaja na popularização dos "combates pela história", ainda hoje essenciais.